LÉGENDE
Capitale nationale
Capitale provinciale/ territoriale
QUE
Iqaluit
BOUCLIER CANADIEN
Baie d'Hudson
QUÉBEC
TERRE-NEUVE
St. John's
ASSES-TERRES E LA BAIE D'HUDSON
SAINT-LAURENT
RÉGION DES APPALACHES
ÎLE-DU-PRINCE-ÉDOUARD
NOUVEAU-BRUNSWICK
Charlottetown
Fredericton
NOUVELLE-ÉCOSSE
Halifax
ONTARIO
Québec
BASSES-TERRES DU
Ottawa
Lac Supérieur
Lac Huron
Lac Michigan
Toronto
L. Ontario
Lac Érié
Océan Atlantique
0
500 km
90 °O
80 °O
70 °O
60 °O
50 °O
40 °O
20 °O
80 °N
70 °N
50 °N
40 °N

Mary Cairo
Luci Soncin

5 4 3 2

Imprimé et relié au Canada

Les Éditions Duval, Inc.
18228, 102e Avenue
Edmonton (Alberta) Canada T5S 1S7
Téléphone : (780) 488-1390
1-800-267-6187
Télécopie : (780) 482-7213
Courriel : 3jp@compuserve.com
Site Web : http://www.duvalhouse.com

Publié en premier lieu en anglais sous le titre : *Our Country Canada,* par Mary Cairo et Luci Soncin
© 2001 Duval House Publishing

Auteures
Mary Cairo et Luci Soncin

Données de catalogage avant publication de la Bibliothèque nationale du Canada

Cairo, Mary.
Le Canada notre pays

Traduction de: Our country, Canada.
Comprend un index.
ISBN 1-55220-207-0

1. Canada--Ouvrages pour la jeunesse. I. Soncin, Luciana. II. Titre.

FC57.C2814 2001 j971 C2001-911618-7

F1008.2.C2814 2001

Remerciement tout spécial

Kara Fry, enseignante de 4e année et le personnel de l'autorité scolaire Mundo Peetabeck, Fort Albany (Ontario)

Murray Gillespie, Winnipeg (Manitoba)

Validation

Validation pédagogique

Dolores Cascone
Enseignante-ressource
Toronto Catholic District School Board

Betty Goulden
Conseillère pédagogique
Keswick (Ontario)

Mary Nelson
Enseignante (retraitée)
Calgary Public Board of Education
Calgary (Alberta)

Pat Waters
Conseillère en programmes (retraitée)
Waterloo Catholic District School Board

Contenu

Pr Bruce Rains
Département des Sciences de la Terre et de l'Atmosphère
University of Alberta
Edmonton (Alberta)

Vérification anti-préjugés

John Smith
Directeur
Green Glade Senior Public School
Mississauga (Ontario)

Le manuel renvoie à divers sites Web. Les adresses sont fournies à titre indicatif et la liste qu'elles constituent n'est en aucun cas exhaustive. Les Éditions Duval ne peuvent garantir la validité des liens ni la pérennité des sites sélectionnés et déclinent toute responsabilité quant à leur contenu et à celui de sites connexes. Les élèves ne devraient pas consulter Internet sans avoir obtenu la permission du personnel enseignant.

Nous reconnaissons l'aide financière du gouvernement du Canada par l'entremise du Programme d'aide au développement de l'industrie de l'édition (PADIÉ) pour nos activités d'édition.

Canada

Remerciements

Les auteures tiennent à rendre hommage à toutes les personnes qui ont collaboré au manuel. Nous exprimons notre gratitude à Karen Iversen (Les Éditions Duval) pour son discernement et ses judicieux conseils. Sans elle, ce projet n'aura pas été réalisé. Un merci tout spécial à Betty Gibbs, qui « cent fois sur le métier a remis son ouvrage » et nous a consultées tout au long du travail de rédaction.

Merci à Claudia Bordeleau pour la conception graphique et les illustrations, qui ne manqueront pas d'éveiller l'intérêt des élèves; à Wendy Johnson, la créatrice méticuleuse des cartes qui agrémentent notre texte.

Merci aussi à Hanna Mizuno et à Faye Zeidman (Bibliothèque municipale de la région de York, succursale Dufferin-Clark) de leur aide précieuse à l'étape des recherches.

Nous aimerions toutes deux remercier nos familles de leur compréhension quand les échéances étaient serrées et de leur patience, de leur soutien et de leur encouragement indéfectibles.

Équipe de projet

Traduction et adaptation : ARTranslation Inc.
Gestion : Karen Iversen, Betty Gibbs
Édition : Betty Gibbs, Karen Iversen, Shauna Babiuk, Lise Morin
Conception graphique (couverture et texte) :
Obsidian Multimedia Corporation, Claudia Bordeleau
Documentation photographique : David Strand, avec l'assistance de Laraine Coates
Production : Tracy Menzies, Jeff Miles
Cartes et illustrations:
Johnson Cartographics Inc., Wendy Johnson
Obsidian Multimedia Corporation, Claudia Bordeleau
Certaines images de Corel, Photospin, Eyewire et Photodisc
Photographie : New Visions Photography, Brad Callihoo
Coordination des séances photo : Roberta Wildgoose

Fabrication

Screaming Colour Inc., Quality Color Press

Modèles photographiques

Francis	Eddie Chartrand	*Mme Patel*	Shellina Pirmohamed
Luke	Ethan Flett	*Lincoln*	Gouled Omar
Annie	Allison Iriye	*Madeleine*	Kay Rollans
Lorie	Jillian Oliver	*Robert*	Brett Zon

Références photographiques

Nous nous sommes efforcés d'indiquer toutes nos sources. Merci de nous signaler toute erreur ou omission.

Légende
(h) = haut (r) = droite (l) = gauche (b) = bas
B&M = Barrett & MacKay Photography Inc.
PNP = Parc national des Prairies
CGVMSL = Corporation de Gestion de la Voie Maritime du Saint-Laurent
TM = Tessa Macintosh
MMG = Murray M. Gillespie
DK/G = Dan Koegler/Geovisuals

Toutes les images sont protégées par la Loi sur le droit d'auteur et sont reproduites avec la permission de leurs auteurs respectifs (voir ci-dessous).

Les photos non répertoriées ci-dessous proviennent de DigitalVision (**couverture**), Digital Stock (**25** mg/**36** g/**125** d), Corbis (**128** hd, hg/**130** mg) ou Corel (toutes les autres).
Photos de Francis, Luke, Annie, Lorie, Mme Singh, Lincoln, Madeleine, Robert, le grenier à grain **36**, l'améthyste **58** et la corbeille de fruits **76** par les soins de New Visions Photography, Brad Callihoo.
Les armoiries, les drapeaux, les fleurs et les oiseaux reproduits au chapitre 9 proviennent du ministère du Patrimoine canadien.
4 (les deux) DK/G 6 © WorldSat International – www.worldsat.ca – 2001. Tous droits réservés. **7** (excepté 3, 5, 6) DK/G (3) Kevin Morris Photography (5) MMG **17** (t, m) DK/G **18** (toutes) Gary Fiegehen **19** Gary Fiegehen **20** (h) Emily Carr, Above the Trees, c. 1935-1939, huile sur papier, Vancouver Art Gallery, Emily Carr Trust VAG 42.3.83 (Photo : Trevor Mills) (b) Box [AA2170 A-B]; *Raven as a Boy Taking Salmon from the Beaver's Lake*, par Steven R. Collison, fin du XXe siècle; sculpture en argillite; 16,0 x 10.2 cm **21** (h, md, b) Gary Fiegehen (mg) Jared Hobbs **24** (hd) Western Canada Wilderness Committee File Photo/L. Allen **25** (md) Avec la permission de Highland Valley Copper **26** (h) Jared Hobbs (m) Gary Fiegehen (b) DK/G **29** (h) TM (m) www.grandmaison.mb.ca (b) GNP/Brad Muir **30** (l) GNP (r) www.grandmaison.mb.ca **32, 33** oeuvre tirée de *A Prairie Alphabet*, droit d'auteur relatif aux illustrations © 1992 par Yvette Moore, livre publié par Tundra Books. **34** (hd) GNP (mg, bd) B&M **35** (h) Avec la permission de Potash Corporation of Saskatchewan, Inc. (m) Avec la permission de Petro-Canada **36** (ml) www.grandmaison.mb.ca **39** (h, mg, b) TM (md) Kevin Morris Photography **40** (toutes) TM **41** (h) J. Kobalenko/Firstlight.ca (md) B&M (b) TM **43** (h) Tessa Macintosh (m) "Walrus Hunt," 1987 par Jimmy "Smith" Arnamissak, reproduction autorisée par La Fédération des Coopératives du Nouveau-Québec/ Tookalook Native Arts **45** (h) TM (mg) Avec la permission de Cominco Ltd. (b) Les Photographes KEDL Ltée **47** (h) Avec la permission de Petro-Canada (mr) Kevin Morris Photography (mg) Jeanette Doucet **48** (h) TM (mg) Kevin Morris Photography (md) Wolfgang Weber/ GNWT **51** (h) Lawren Harris, *First Snow, North Shore of Lake Superior*, 1923, huile sur canevas, Vancouver Art Gallery, Founders Fund VAG 50.4 (Photo: Trevor Mills). Reproduction autorisée par Mme Margaret Knox. (b) Parcs Canada/W. Wyett **53** (hg, hd) TM (mg) Parcs Canada (md) www.grandmaison.mb.ca **56** (h) Avec la permission de Manitoba Hydro (mg) B&M (bl) Grant Black/Firstlight.ca (br) Brian Milne/Firstlight.ca **57** (toutes) Photos par Jack Humphrey , de JaxGrafix. **59** (h, mg, md) Cité du Grand Sudbury, Economic Development and Planning Services (b) Cité du Grand Sudbury et Don Johnston **60** (hg, mg) A Giardini, Toronto Catholic District School Board (bl) Cité du Grand Sudbury, Economic Development and Planning Services (toutes d) www.grandmaison.mb.ca **63** (toutes) MMG **64** (hg, m) www.grandmaison.mb.ca (hd, b) MMG **65** (toutes) MMG **66** (h) MMG (mg) Avec la permission de Manitoba Hydro (md, b) www.grandmaison.mb.ca **67** (toutes) Kara Fry et le personnel de l'école St. Ann's School, Fort Albany. **68** (h) www.grandmaison.mb.ca (mg, b) Avec la permission de Manitoba Hydro (md) www.grandmaison.mb.ca **71** (m) B&M (b) Parcs Canada **73** (h) CGVMSL/Thies Bogner (b) CGVMSL **74** (h) CGVMSL/Clayton Mockler **75** (excepté hd) Parcs Canada **76** (hd, m) B&M **77** (h) "The Road Less Travelled" courtepointe brodée, composition libre par Bridget O'Flaherty, Perth (Ontario). (b) "Envelopes" courtepointe contemporaine par Bridget O'Flaherty, Perth (Ontario). **78** (excepté bg) Waterfront Regeneration Trust **81** (m) Parcs Canada/Gary Briand/1010-02 **82** (toutes) B&M **83** (h) B&M (b) Photo par Boily **84** (toutes) B&M **85** (g) Archives Photo de la PC (J.H. Strjoh) (d) B&M **86** (toutes) &M **88** (toutes) B&M **92** (mg) B&M **97** (b) B&M **98** (b) Gerald Holdsworth **100** (b) Kevin orris Photography **101** (h) www.grandmaison.mb.ca **103** (b) B&C Alexander/Firstlight.ca **105** (h) www.grandmaison.mb.ca **110** (b) B&M **111** (b) B&M **115** (h) Bureau de la Lieutenante gouverneure de l'Ontario (b) Archives Photo de la PC (Dave Buston) **116** (h) Gouvernement du Nunavut (b) Assemblée législative de l'Ontario **120** (hg) www.grandmaison.mb.ca (hd) Ministère de la Défense nationale (bg) Archives Photo de la PC (J.H. Strjoh) **122** (excepté md) B&M (md) Avec la permission de Economic Development Edmonton **125** (hg) B&M (hd) Avec la permission de Toyota Motor Manufacturing Canada **128** (mg) ©2001 NBA Entertainment. Photo par Ron Turenne (md) Avec la permission de Mercury Records (b) B&M **129** (hg) Les Photographes KEDL Ltée (hd) Avec la permission de l'École nationale de ballet (b) Archives Photo de la PC (Ryan Remiorz) **130** (md) Photo de la NASA **131** (hd) Kevin Morris Photography (bg) ©RCMP-GRC (2001) (bd) Avec la permission de Westcoast Energy Inc. **132** (hd) Exposition nationale canadienne Canadian 2001 (m) Ministère de la Défense nationale

Références textuelles originales

20 "And My Heart Soars," par Chief Dan George. Copyright © 1974, 1989 Hancock House Publishers Ltd., 19313 Zero Avenue, Surrey (CB).
42 "The Gift of the Whale," d'après *Native American Animal Stories*, par Joseph Bruchac. Copyright © 1992 Fulcrum Publishing Inc., Golden, Colorado, USA. Reproduite avec permission. Tous droits réservés
77 "Patterns" par B. Gibbs

Principales références de l'adaptation française

Terminologie, noms géographiques officiels :
TERMIUM ®; *Le grand dictionnaire terminologique* (OLF)

Contenu/Fait francophone au Canada :
L'Encyclopédie canadienne 2000 Édition mondiale © McClelland & Stewart Inc., 1999; GRATIEN, Allaire. *La francophonie canadienne : portraits*, Sudbury-Québec, Prise de Parole/AFI-CIDEF, 1999, coll. « Francophonies »; site Web de la Fédération des communautés francophones et acadienne (FCFA) du Canada (http://www.franco.ca/)

Note à l'élève

Le Canada est un immense pays varié. Nous avons la chance de pouvoir vivre dans de nombreux environnements différents. Le relief varie selon les régions. Il y a des montagnes élevées, de vastes plaines de basse altitude et des étendues vallonnées ou ondulées.

Les plantes changent selon les régions et les formes de relief. Par exemple, il y a d'épaisses forêts, d'immenses prairies, des terres agricoles riches et des champs de glace sans végétation.

Le temps varie beaucoup d'un endroit à l'autre. Certaines régions du sud sont écrasées par la chaleur en été. Dans les communautés du Nord, le temps est souvent frais et ensoleillé. L'hiver est en général doux, frais et humide près des océans; glacial et balayé par les vents vers l'intérieur.

La population canadienne est dispersée dans 13 provinces et territoires qui forment un même pays. Il existe de nombreux liens entre ces provinces et territoires : des routes et des chemins de fer; des lignes téléphoniques et des réseaux de télévision. Les Canadiens achètent et vendent des produits; ils fournissent et consomment également des services. Les échanges de produits et de services forment aussi des liens.

Nous t'invitons à examiner les nombreux aspects du Canada avec sept élèves et leur enseignante, Mme Patel. Ensemble, vous découvrirez comment les régions du Canada sont à la fois semblables et différentes. Les notes, les entrevues, les photos, les tableaux et les diagrammes t'aideront à comprendre les environnements variés du Canada et les gens qui y vivent. Tout au long du manuel, les élèves présenteront aussi des problèmes environnementaux qui sont importants pour l'avenir de notre pays.

Les études sociales nous permettent d'en savoir plus sur les régions et les modes de vie des gens qui y vivent. Le manuel et le guide de l'enseignant-e couvrent aussi quelques réalisations du fait français au Canada ainsi que l'identité franco-canadienne. Nous espérons que *Le Canada, notre pays* te permettra de mieux comprendre la société en général et la communauté franco-ontarienne en particulier.

Projet sur le Canada

Ta classe devra préparer un projet sur les provinces et les territoires du Canada. Ce projet est décrit en détail à la fin du chapitre 1.

Table des matières

Chapitre 1

Regardons le Canada

Bonjour tout le monde! Je suis très heureuse de vous accueillir. Bienvenue au Château Laurier – un grand hôtel d'Ottawa (Ontario), la capitale du Canada!

Sept élèves ont été invités à participer à une conférence. Ils nous parleront de leurs régions d'origine. Ensemble, nous allons construire une image de notre pays.

Pour commencer, chaque élève va se présenter et situer sa région sur cette carte. Moi, je m'appelle Mme Patel et je viens d'Ottawa. Je servirai de guide durant cette conférence.

À retenir!

Sujets traités au chapitre 1 :

- mots qui servent à décrire les régions physiques du Canada
- comment faire des comparaisons
- les éléments d'une carte
- comment « lire » une carte
- comment faire une carte
- les frontières des provinces et des territoires du Canada

Vocabulaire

environnement
région
région politique
frontière (limite)
région physique
carte topographique (du relief)

carte
altitude
coupe transversale
traits physiques
formes de relief
climat
végétation

ressource naturelle
rose des vents
points cardinaux
points collatéraux
légende
échelle

Bonjour, je m'appelle Robe
Je suis de Tuktoyaktuk.

Bonjour, je m'appelle Annie.
Je viens de Nanaimo.

Salut, je m'appelle Luke.
Je viens de Lacombe.

Carte politique du Canada

Le savais-tu?
On peut dire j'habite Toronto ou j'habite à Toronto. Les deux formes sont correctes.

Bonjour, je m'appelle Francis. J'habite Fort Albany.

Bonjour, je m'appelle Madeleine. Je suis de Québec.

Salut, je m'appelle Lincoln. Je viens de Shelburne.

Salut, je m'appelle Lorie. J'habite à Sudbury.

LÉGENDE
- ★ Capitale nationale
- ◉ Capitale provinciale/territoriale

N
O
E
S

NUNAVUT
Iqaluit
knife
Baie d'Hudson
QUÉBEC
TERRE-NEUVE
St. John's
ATCHEWAN
MANITOBA
Fort Albany
ÎLE-DU-PRINCE-ÉDOUARD
NOUVEAU-BRUNSWICK
Charlottetown
Regina
Winnipeg
ONTARIO
Fredericton
NOUVELLE-ÉCOSSE
Québec
Halifax
Shelburne
Sudbury
Ottawa
Océan Atlantique
Toronto
0 500 km

Étude de notre environnement

Je suis géographe. J'étudie l'environnement qui nous entoure – les effets de l'environnement sur les êtres humains et les effets des activités humaines sur l'environnement.

Nos choix influent sur l'environnement et les autres êtres humains. Par exemple, imagine que tu souhaites cultiver les terres où tu vis. Si la région manque d'eau, que feras-tu pour avoir de belles récoltes? Tu pourras creuser un canal et modifier la direction d'un cours d'eau, par exemple. Cette solution aura des conséquences pour l'environnement et la population.

Formé par des forces naturelles, ce paysage a été peu modifié par les êtres humains.

Habiletés & outils

En études sociales, nous disposons d'habiletés et d'outils particuliers pour en savoir plus sur les êtres humains, les lieux où ils vivent et leurs modes de vie. Nous utilisons des cartes, des photos et des images pour examiner les pays et les formes de relief. Nous étudions des graphiques, des tableaux et des diagrammes pour approfondir nos connaissances sur les gens et leur environnement (ou leur milieu).

Les routes, les champs moissonnés et les bâtiments de ferme montrent que cet environnement a été transformé par les activités humaines.

Les régions du Canada

Le Canada est le deuxième pays du monde par sa superficie. Il couvre 9 093 507 kilomètres carrés. On y trouve des milliers de lacs et des milliers de kilomètres de cours d'eau.

Il est difficile d'examiner un pays aussi vaste que le Canada sans le diviser en plusieurs parties. Les **régions** sont des lieux qui ont des caractéristiques communes; ces caractéristiques les distinguent des régions environnantes. Il y a toutes sortes de régions. Dans le manuel, nous étudierons des régions politiques et des régions physiques.

Deux types de régions

Une **région politique** est un lieu qui a des limites ou des frontières reconnues et son propre gouvernement. Une **frontière** est une ligne qui délimite une région. Elle montre où la région commence et où elle finit. Les provinces et les territoires sont les régions politiques du Canada.

Une **région physique** est un lieu qui se distingue des autres par ses traits physiques ou son environnement.

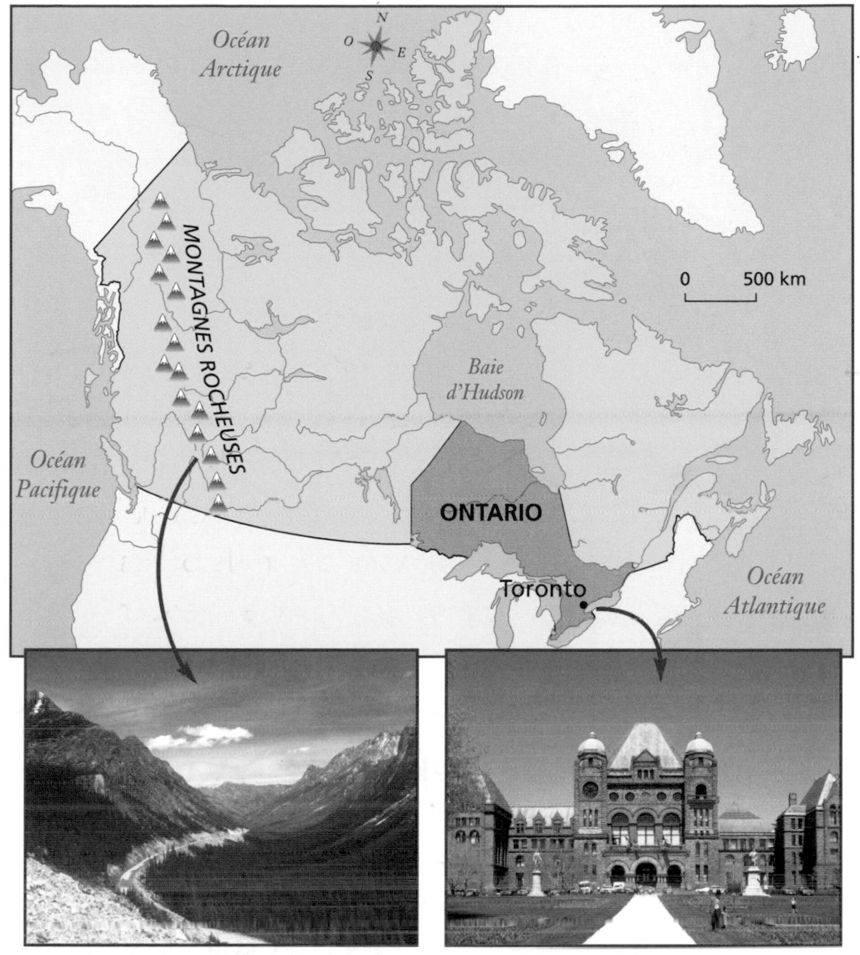

Les montagnes Rocheuses sont dans une région physique. Les montagnes sont une des caractéristiques de cette région.

L'Ontario est une région politique. Voici l'Édifice de l'Assemblée législative de l'Ontario, le lieu où le gouvernement provincial se réunit.

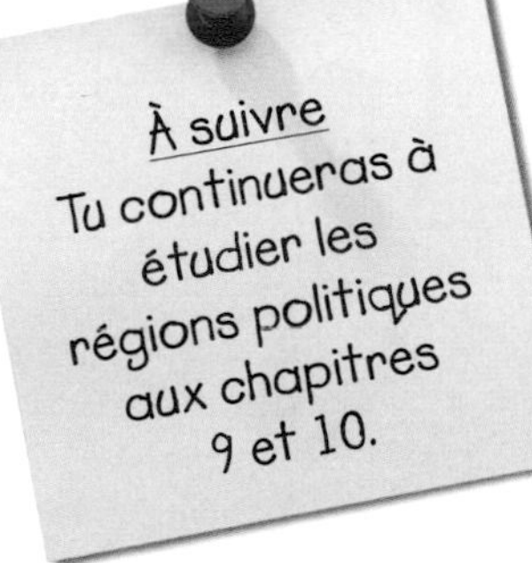

Faire ◆ Discuter ◆ Découvrir

1. a) Travaillez deux par deux. Créez la liste des provinces et des territoires du Canada que vous connaissez. Relevez cette liste dans vos cahiers.
   b) Combien de provinces y a-t-il au Canada?
   c) Combien de territoires y a-t-il au Canada?
   d) Quel est le total?
2. Utilisez la carte qui se trouve au tout début du manuel pour vérifier vos réponses. Au besoin, ajoutez ce que vous avez oublié.
3. Écrivez le nom des provinces et des territoires sur une carte-croquis du Canada. Situez et indiquez les lieux où vivent les sept élèves (revoir les pages 2 et 3, au besoin).

Lecture d'une image-satellite

Les satellites fournissent des images de la surface de la Terre. Ces photos sont prises dans l'espace – à des centaines de kilomètres d'altitude. L'image ci-dessous est une image-satellite du Canada. Les couleurs ne sont pas exactes. Elles représentent des informations que le satellite enregistre sur la Terre. Examine cette image attentivement. Quels éléments ou régions peux-tu y reconnaître?

Sur cette image-satellite, on peut voir des montagnes, de grandes étendues d'eau, de la glace, des terres et le fond de l'océan.

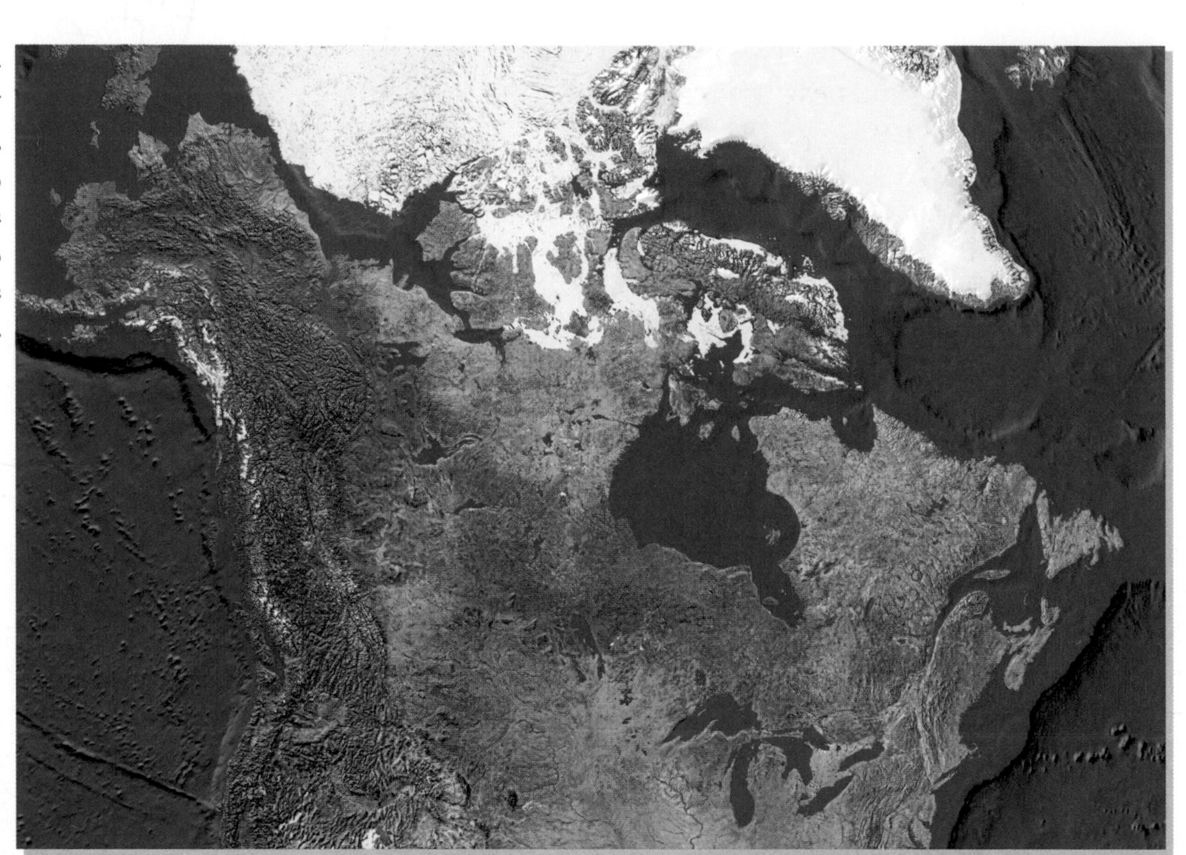

Image-satellite du Canada

Faire ◆ Discuter ◆ Découvrir

1. Associe-toi à un-e partenaire. Essayez de trouver les endroits suivants sur l'image-satellite (consultez un atlas, si nécessaire) :

a) océan Pacifique
b) océan Atlantique
c) Rocheuses
d) Grands Lacs
e) champs de glace
f) Terre-Neuve
g) baie d'Hudson
h) voie maritime du Saint-Laurent.

2. Réponds aux questions suivantes dans ton cahier et partage tes réponses avec un-e autre élève.
   a) À ton avis, que représente la couleur verte?
   b) À ton avis, que représentent les autres couleurs?
   c) Utilise des informations tirées de l'image-satellite pour décrire deux caractéristiques du Canada.

La carte topographique du Canada

Une **carte** est un dessin ou une représentation qui montre la surface de la Terre vue d'en haut. Il existe différents types de cartes. Elles fournissent des données différentes sur la surface de la Terre.

La carte ci-dessous est une **carte topographique**. Elle représente le relief d'un lieu – les plaines, les collines et les montagnes – à l'aide de couleurs ou de symboles. La légende de la carte explique les altitudes représentées par chaque couleur. L'**altitude** est la hauteur d'un lieu mesurée à partir du niveau de la mer.

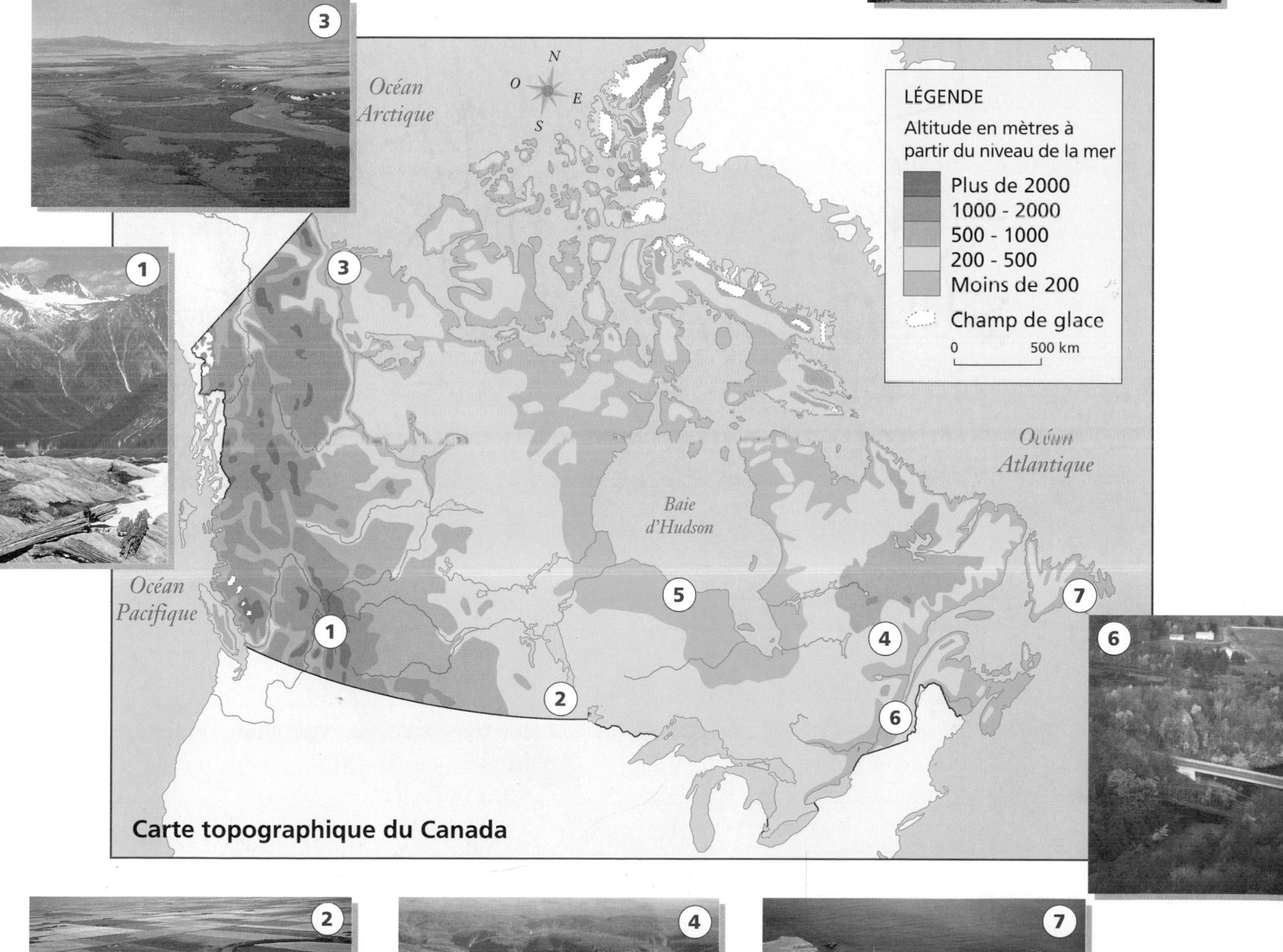

Carte topographique du Canada

Les régions physiques du Canada

Une région physique est un lieu qui se distingue des autres par ses traits physiques. Elle a des caractéristiques communes; elle est différente des régions qui l'entourent.

Par exemple, la région physique du Bouclier canadien est une vaste zone de collines rocheuses et de lacs. La région des Plaines intérieures est une immense zone presque plate, traversée par de longs cours d'eau.

Certaines régions sont situées à haute altitude; d'autres sont au niveau de la mer.

À suivre
Tu continueras à étudier les sept régions physiques du Canada aux chapitres 2 à 8.

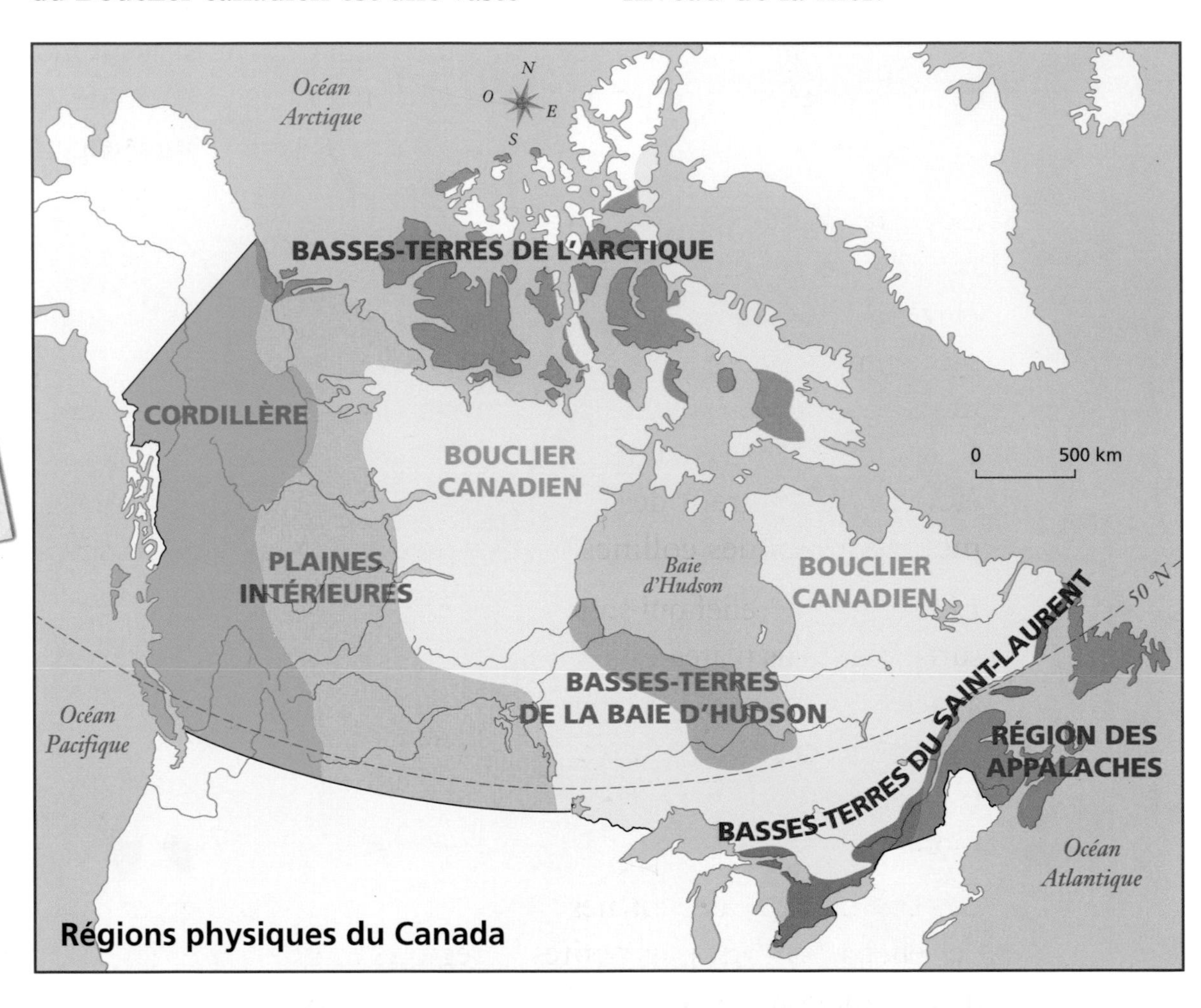

Régions physiques du Canada

Coupe transversale du Canada

Voici une **coupe transversale** du Canada. C'est une tranche du Canada, qui montre la forme du relief vue de côté. La ligne du fond représente le niveau de la mer. La hauteur des montagnes et des collines est exagérée. Cette coupe permet de mieux voir les différences d'altitude entre les régions. Le diagramme représente un profil du Canada qui correspond à la ligne pointillée indiquée sur la carte des Régions physiques ci-dessus.

Cordillère de l'Ouest
Plaines intérieures
Bouclier canadien
Appalaches
0
500 km

Description des régions physiques

Une région physique se distingue par des caractéristiques communes : traits physiques, climat, végétation, vie animale et ressources naturelles.

Les **traits physiques** sont les formes de relief et les masses d'eau d'un lieu.

Les montagnes sont les **formes de relief** les plus élevées. Une chaîne de montagnes est une suite de montagnes reliées entre elles. Les vallées sont les zones peu élevées qui séparent des montagnes ou des collines.

Les formes de relief qui sont surélevées mais plates sont appelées « plateaux ». En général, les plateaux se trouvent entre deux chaînes de montagnes.

Les collines sont des formes de relief arrondies, plus petites que les montagnes. Les plaines sont des zones plates. Dans l'Ouest canadien, cette portion de territoire est également appelée « les Prairies », les grandes « Plaines de l'Ouest » ou les « grandes plaines de l'Ouest ».

Les océans, les lacs et les cours d'eau sont les masses d'eau de la Terre. Elles portent aussi d'autres noms. Par exemple, une mer est une masse d'eau salée moins étendue qu'un océan, délimitée par des terres.

Le **climat** est l'ensemble de phénomènes météorologiques observés pendant de nombreuses années qui caractérise l'état moyen de l'atmosphère. Les températures et les précipitations (pluie, neige, verglas) font partie du climat.

La **végétation** est l'ensemble de toutes les plantes qui poussent naturellement dans un lieu. Le climat d'un lieu détermine le type de végétation qui y pousse. Dans les régions froides, la végétation est rare. Dans les régions humides, la végétation est abondante. Dans les régions chaudes et sèches comme les déserts, il n'y a que des plantes très spécialisées.

La **vie animale** d'une région désigne toutes les créatures vivantes – les animaux, les oiseaux, les poissons, surtout. Les régions situées près des océans abritent à la fois des animaux terrestres et des animaux marins.

Les **ressources naturelles** sont tout ce que nous pouvons tirer de la Nature pour rendre nos vies plus faciles et plus agréables. Les forêts, l'eau, les minéraux, le sol et les poissons font partie de nos ressources ou richesses naturelles.

Lecture d'une carte

Une carte est un dessin ou une représentation qui montre la surface de la Terre vue d'en haut. Un ou une **cartographe** est une personne qui dresse et dessine des cartes géographiques. Quand tu fais une carte, il y a des éléments indispensables à inclure. Ils donnent des renseignements précieux à la personne qui lira la carte.

Les **frontières** indiquent le contour ou les limites des lieux. Il existe différents types de frontières.

Les **lignes** servent à représenter différents éléments : frontières, cours d'eau et routes, par exemple.

Les **annotations** ou indications désignent les lieux (pays, provinces, villes) et les traits physiques (cours d'eau, océans, déserts, montagnes, etc.).

Le **titre** précise le sujet de la carte.

Les lignes de **latitude** sont des parallèles orientées de l'Est à l'Ouest. Les lignes de **longitude** vont du Nord au Sud – du pôle Nord au pôle Sud. Les lignes de latitude et de longitude forment une **grille** qui nous aident à situer les lieux sur les cartes.

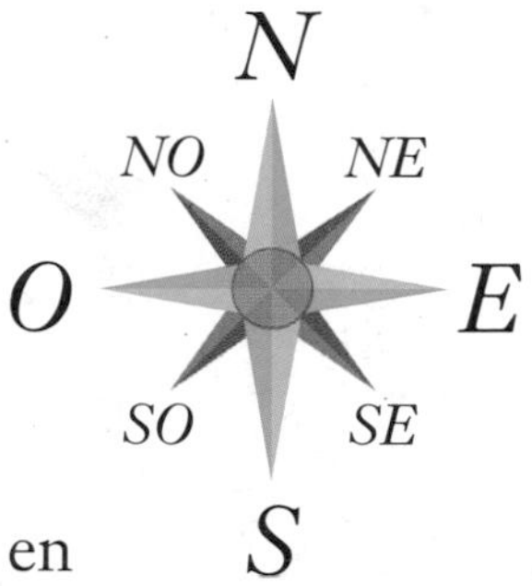

La **rose des vents** ou rose du compas permet d'orienter les cartes. Les plus simples montrent seulement le Nord. Sur toutes les cartes, le Nord se trouve en haut de la page. Certaines roses des vents montrent les **points cardinaux** et collatéraux. Les points cardinaux sont le Nord, le Sud, l'Est et l'Ouest. On appelle **points collatéraux** le Nord-Est, le Sud-Est, le Sud-Ouest et le Nord-Ouest.

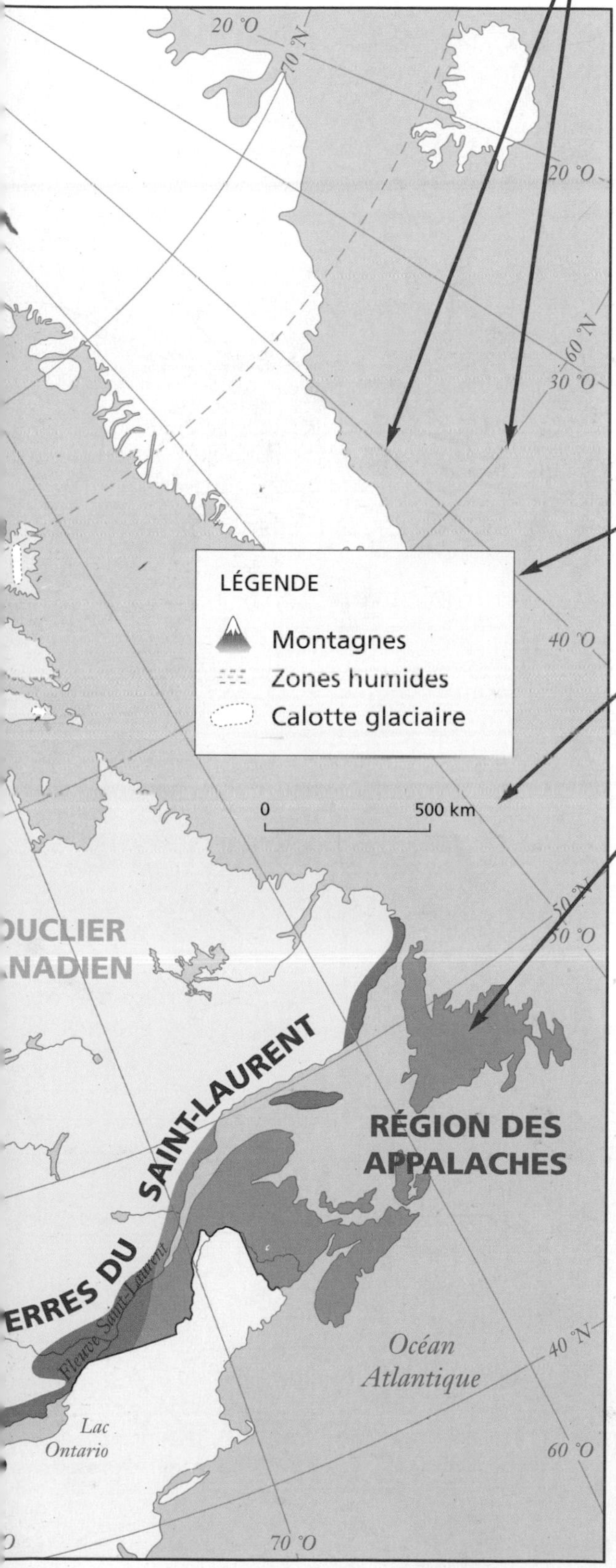

La **légende** d'une carte explique les symboles, les couleurs et les lignes utilisés sur la carte.

L'**échelle** d'une carte établit le lien entre la distance réelle sur la Terre et la distance mesurée sur la carte.

Les **couleurs** identifient les éléments communs d'une région donnée.

Faire ◆ Discuter ◆ Découvrir

1. Quel est le titre de la carte des pages 10 et 11? Quelles informations donne-t-il? Quelles informations le titre « Zones de végétation du Canada » nous donnerait-il?
2. Identifie trois annotations ou indications différentes utilisées sur la carte.
3. Quelle est la couleur des masses et des cours d'eau?
4. Donne un exemple de frontières utilisées sur la carte.
5. Trouve la rose des vents de cette carte. Le Nord-Ouest est un point collatéral. Quels sont les autres points collatéraux?
6. Décris trois types de lignes utilisées sur cette carte.
7. Quel est le symbole qui sert à représenter les montagnes? D'après la légende de la carte, quels sont les autres symboles?

Comparaison

Un **tableau d'organisation** est un diagramme qui sert à illustrer les liens entre les informations sur un sujet particulier. Deux types de diagrammes sont décrits ci-dessous.

Un **tableau comparatif** est un diagramme qui sert à comparer plusieurs choses. Il montre les points communs et les différences. Pour comparer deux choses, il faut d'abord déterminer les caractéristiques importantes. Ce sont les **critères** de comparaison.

Exemple

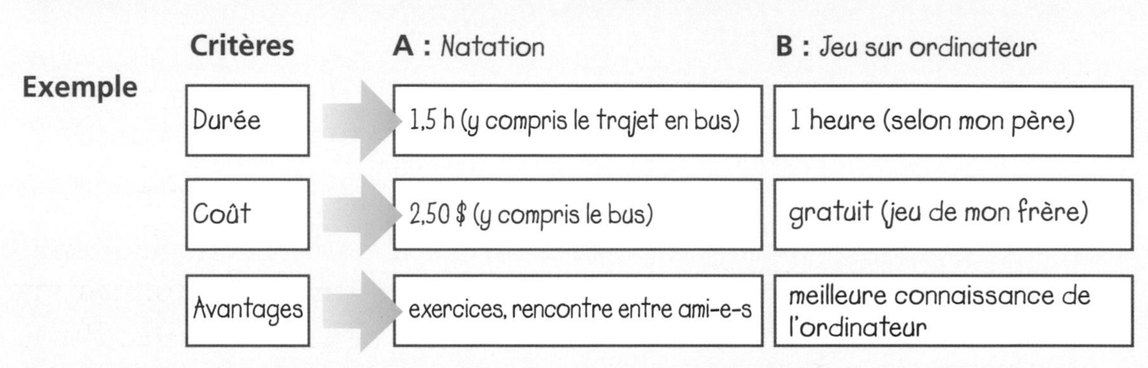

Critères	A : Natation	B : Jeu sur ordinateur
Durée	1,5 h (y compris le trajet en bus)	1 heure (selon mon père)
Coût	2,50 $ (y compris le bus)	gratuit (jeu de mon frère)
Avantages	exercices, rencontre entre ami-e-s	meilleure connaissance de l'ordinateur

Indique les critères dans ton tableau. Examine soigneusement les deux choses que tu compares. Écris ce que tu as découvert, en plus des critères.

Le **diagramme de Venn** est un autre outil de comparaison. Il est composé de deux cercles qui se recoupent. Dans l'espace d'intersection (au milieu), écris les caractéristiques communes aux deux choses comparées. Ce sont leurs points communs. Dans les parties extérieures des cercles, écris ce qui distingue les deux choses comparées.

Exemple

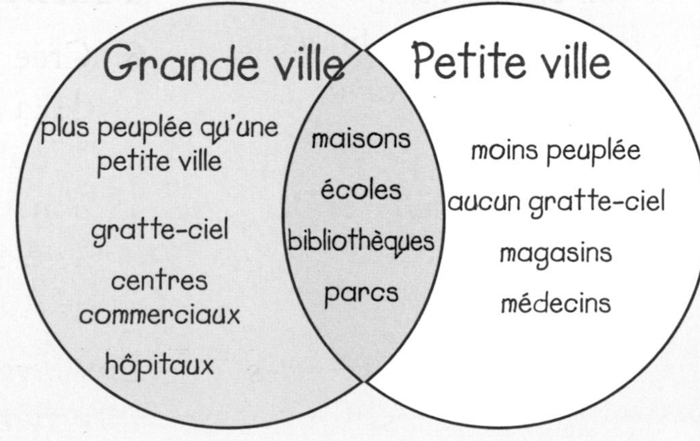

Faire ◆ Discuter ◆ Découvrir

Associe-toi à un-e partenaire. Répondez à la question 1 ou 2.

1. Dessinez un tableau comparatif dans votre cahier. Choisissez trois critères qui vous serviront à comparer l'image-satellite de la page 6 et la carte topographique de la page 7. Comparez ces deux cartes du Canada.
2. Utilisez un diagramme de Venn pour comparer la carte topographique de la page 7 et la carte politique des pages 2 et 3.

Chapitre 1

Compréhension des concepts

1. a) Crée une partie Vocabulaire dans ton cahier – avec une page de titre et (ou) une feuille intercalaire. Tu l'utiliseras tout au long du manuel.

   b) Deux par deux, examinez le vocabulaire présenté à la page 2. Utilisez les mots « carte » et « région » pour établir deux catégories de vocabulaire. Essayez de faire des listes de mots qui appartiennent à chacune des deux catégories.

2. Étudie le tableau comparatif ou le diagramme de Venn que tu as créé à la page 12. Dans ton cahier, rédige deux énoncés qui exprimeront ce que tu as découvert grâce à ces outils.

3. Dans ton cahier, rédige deux ou trois phrases pour expliquer la différence entre régions physiques et politiques.

Habiletés de recherche et de communication

4. Trouve des exemples qui illustreront trois types de cartes trouvées dans les livres, les magazines et les journaux. Examine-les pour vérifier si on y trouve les éléments indispensables à toutes les cartes. Partage ces exemples avec un-e partenaire.

Habiletés de lecture et de création des cartes/globes

5. Crée une liste de vérification qui inclura tous les éléments d'une carte. Mets-la dans ton cahier. Tu pourras utiliser cette liste chaque fois que tu dois créer une carte.

6. Situe, colorie et indique les régions physiques du Canada sur une carte-croquis. Classe cette carte dans ton cahier.

7. Crée un collage de mots sur une carte-croquis du Canada. Pense aux mots qui décrivent ce que tu as appris sur le Canada dans ce chapitre et ce que tu savais déjà. Utilise la couleur et un style de lettrage intéressant. Partage ton collage avec un-e autre élève.

Application des concepts et habiletés à différents contextes

8. Crée une carte de ta classe. N'oublie pas d'inclure tous les éléments nécessaires.

Lien avec Internet

9. Essaie de répondre au jeu-questionnaire de Statistique Canada (**www.statcan.ca/francais/edu/canquiz/cquiz1_f.htm**).

Projet de recherche

Les projets de recherche importants peuvent être faits en plusieurs étapes sur de nombreuses semaines. Souvent, tu travailleras au sein d'un groupe ou avec un-e partenaire.

Pour faire une recherche, tu dois d'abord avoir un sujet. Tu dois ensuite trouver des informations, les recueillir, les organiser et les présenter.

Les étapes suivantes t'aideront à effectuer un projet de recherche correctement.

SUJET

Étape 1 : Je prépare ma recherche.

1. Parle avec ton enseignant-e pour confirmer que tu comprends exactement ce que tu dois faire.

Étape 2 : Je recueille mes informations de différentes sources.

1. Planifie l'organisation de ton projet.
2. Décide comment et où tu vas recueillir des informations – bibliothèque, sites Internet, spécialistes.
3. Relève les informations pertinentes et indique tes sources (où tu les as trouvées).

Étape 3 : J'organise mes informations.

1. Relis les informations que tu as recueillies.
2. Choisis les informations les plus pertinentes – celles qui s'appliquent le mieux à ton sujet.
3. Utilise des tableaux et (ou) des diagrammes pour organiser tes idées.
4. Récris les informations de façon organisée.

Étape 4 : Je présente mes informations.

1. Crée différents types de documents sur ton sujet : textes, illustrations, tableaux, diagrammes, maquettes, objets, bande audio ou bande vidéo.
2. Choisis sous quelle forme tu présenteras tes documents.
3. Présente-les au reste de la classe.
4. Demande à la classe de te faire part de ses commentaires. Réfléchis à ton projet et essaie de voir comment tu aurais pu l'améliorer.

Projet sur le Canada

Tu es en train d'étudier les régions physiques du Canada, les provinces et les territoires, et les liens qui unissent notre pays. Dans le cadre du cours, tu vas recueillir, organiser et créer les éléments d'un projet collectif.

Le projet sera composé de trois parties principales. La plupart du temps, tu travailleras au sein d'un petit groupe. À la fin de chaque chapitre, le manuel te rappellera que tu dois faire une activité particulière ou recueillir certaines informations pour ce projet sur le Canada.

L'album de découpures

L'album de découpures va contenir les éléments ci-dessous. Tu pourras aussi ajouter d'autres éléments de ton choix :

- des notes sur la province ou le territoire que ton groupe étudie
- une carte de la province ou du territoire, indiquant les caractéristiques et les lieux importants
- les symboles des ressources et des produits de la province ou du territoire
- des poèmes ou récits que tu auras trouvés ou créés toi-même sur ta province ou ton territoire
- des illustrations ou des cartes postales que tu auras trouvées ou créées toi-même
- un organigramme illustrant les liens entre ta province (ton territoire) et le reste du pays
- des fiches (comme des cartes de baseball) indiquant les villes principales de ta province ou de ton territoire.

La boîte à chaussures

Tu vas recueillir des objets, des cartes, des fiches descriptives et des symboles à mettre dans la boîte à chaussures de ton groupe. Dans le cadre de l'exposé ou de la présentation finale, chaque groupe décrira le contenu de sa boîte à la classe. Les renseignements au sujet de l'album de découpures t'aideront aussi à donner ta présentation.

La maquette

Ensemble, la classe va créer une maquette – un grand modèle du Canada en relief. Il montrera les provinces et les territoires, et les liens qui les unissent. Votre enseignant-e vous aidera à faire un plan général qui assurera que tous les éléments du modèle s'emboîtent parfaitement. Chaque groupe créera un modèle en trois dimensions de sa province ou de son territoire. Ensuite, la classe assemblera les différentes parties pour créer le modèle au complet.

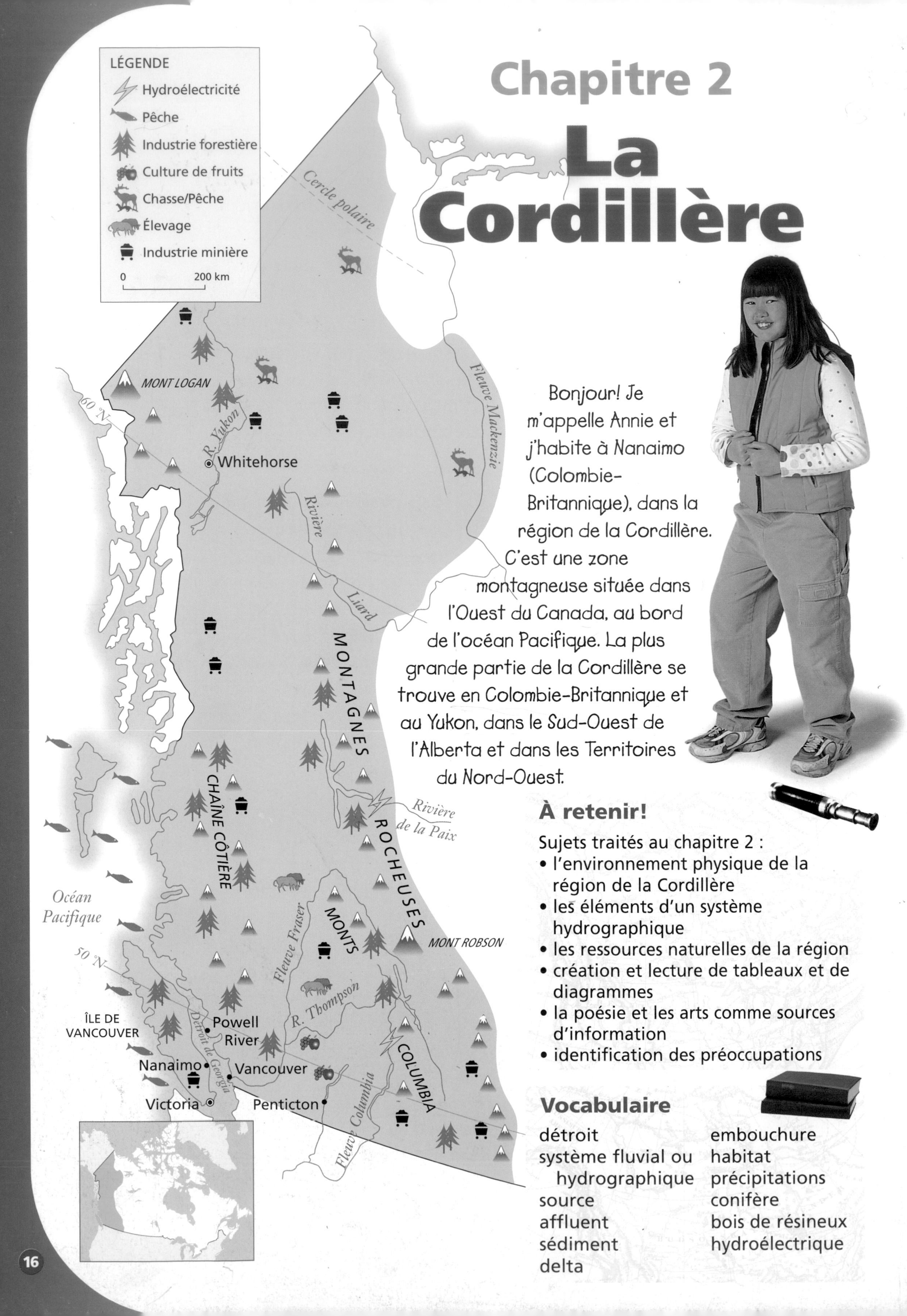

Chapitre 2

La Cordillère

Bonjour! Je m'appelle Annie et j'habite à Nanaimo (Colombie-Britannique), dans la région de la Cordillère. C'est une zone montagneuse située dans l'Ouest du Canada, au bord de l'océan Pacifique. La plus grande partie de la Cordillère se trouve en Colombie-Britannique et au Yukon, dans le Sud-Ouest de l'Alberta et dans les Territoires du Nord-Ouest.

À retenir!

Sujets traités au chapitre 2 :

- l'environnement physique de la région de la Cordillère
- les éléments d'un système hydrographique
- les ressources naturelles de la région
- création et lecture de tableaux et de diagrammes
- la poésie et les arts comme sources d'information
- identification des préoccupations

Vocabulaire

détroit	embouchure
système fluvial ou hydrographique	habitat
source	précipitations
affluent	conifère
sédiment	bois de résineux
delta	hydroélectrique

Traits physiques

Il y a des millions d'années, d'immenses couches rocheuses se sont plissées pour former des chaînes montagneuses appelées la Cordillère. Ces plis se sont écrasés les uns contre les autres.

Aujourd'hui, le relief est très varié dans la région de la Cordillère. On y trouve des montagnes, des collines, des plateaux et des vallées. La plus grande partie de la région est située au-dessus du niveau de la mer. Il y a des lacs de toutes dimensions et de grands systèmes hydrographiques. L'océan Pacifique borde la côte Ouest.

Le plateau Intérieur se trouve entre la chaîne Columbia et la chaîne Côtière. Plusieurs fleuves importants arrosent cette région élevée avant de traverser la chaîne Côtière et de se jeter dans l'océan.

Le plateau Intérieur est plutôt plat ou légèrement ondulé.

Le mont Robson est le sommet le plus élevé des Rocheuses. Il atteint 3954 m d'altitude.

Un détroit est un bras de mer étroit qui fait communiquer deux étendues d'eau.

Faire ◆ Discuter ◆ Découvrir

Examine la carte de la page précédente pour répondre aux questions suivantes dans ton cahier :

1. Comment s'appelle la chaîne de montagnes qui borde la côte?
2. Comment s'appelle la chaîne de montagnes la plus éloignée de la côte?
3. Comment s'appelle la masse d'eau qui sépare l'île de Vancouver et la partie continentale?
4. Donne le nom de deux cours d'eau qui apparaissent sur la carte.

La région de la Cordillère compte plusieurs chaînes de montagnes. On y trouve les plus hauts sommets du Canada.

Un système hydrographique

Le Fraser traverse les montagnes et se jette dans le Pacifique.

Le Fraser

Le Fraser est le système fluvial le plus important de la région de la Cordillère.

Le Fraser prend sa source dans une région élevée des Rocheuses, près du parc national Jasper. Il traverse le plateau Intérieur et la chaîne Côtière avant de se jeter dans le Pacifique.

Le Fraser est un fleuve puissant, entrecoupé de cascades et de chutes dans les passages très montagneux.

Il est alimenté par l'eau des régions qu'il traverse et par ses affluents. Le courant transporte des particules de roche et de terre appelées **sédiments**.

Quand le fleuve traverse des zones moins élevées, il coule plus lentement. Les sédiments qu'il transporte se déposent dans son lit. Au cours de milliers d'années, les vallées se sont peu à peu remplies de sédiments; elles se sont transformées en terrains plats.

Fleuve ou rivière?

Le mot anglais river *et le mot français* rivière *ont la même origine. Mais en français, aujourd'hui, un fleuve est un cours d'eau qui s'écoule directement dans la mer. Les cours d'eau qui se jettent dans des lacs ou des fleuves sont appelés des rivières.*

Les **affluents** sont des cours d'eau secondaires qui se jettent dans un fleuve.

La **source** est l'endroit où commenc un cours d'eau. C'est parfois un lac, un ruisseau souterrain ou un glacier en période de fonte, par exemple.

Un **système hydrographique** ou système fluvial est l'ensemble de tous les éléments d'un fleuve et de ses affluents.

La rivière Stein est un affluent du Fraser.

L'embouchure du Fraser est la partie la plus étendue de la vallée du Fraser. Un delta important s'est formé à partir des sédiments transportés par le cours d'eau. Le sol du delta donne d'excellentes terres agricoles pour les maraîchers et les producteurs laitiers.

La ville de Vancouver et de nombreuses petites communautés se sont établies dans cette région.

Le Fraser est l'**habitat** du saumon et d'autres espèces de poissons. Il fournit de l'eau douce (non salée) pour la population et l'agriculture. À certains endroits, le fleuve sert aussi aux loisirs, aux voyages et aux transports.

Faire ◆ Discuter ◆ Découvrir

1. Associe-toi à un-e partenaire. Examinez les éléments d'un système hydrographique. Faites la liste de ces éléments et décrivez-les dans votre cahier.
2. Dessinez ou recopiez le diagramme du système hydrographique sur une feuille de papier. Indiquez tous les éléments. Classez cette feuille dans votre cahier.

Exercice pratique

En groupe, créez une maquette représentant le diagramme des pages 18 et 19.

Il vous faudra :

- un morceau de carton ou de bois (24 cm x 30 cm)
- de la pâte à modeler (plasticine) bleue, verte et brune

- une feuille de plastique épais (surface de travail).

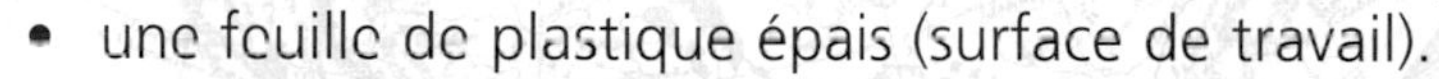

1. Commencez par créer le fleuve et ses affluents (pâte à modeler bleue). Faites référence au diagramme des pages 18 et 19 pour vous guider. N'oubliez pas que certaines parties du fleuve sont plus élevées que d'autres; que le courant est plus rapide à certains endroits. (Comment allez-vous représenter la vitesse du courant?)
2. Quand vous aurez terminé le système hydrographique, créez le terrain environnant.
3. Quand la maquette sera terminée, utilisez de petites étiquettes pour indiquer les éléments importants du système hydrographique : la source, les affluents, le delta et l'embouchure.

Le **delta** est l'embouchure d'un fleuve – en forme de triangle, le plus souvent – qui se divise en plusieurs bras.

L'**embouchure** est l'endroit où un cours d'eau se jette dans la mer ou dans un lac.

Les arts de la Cordillère

Allégresse

La beauté des arbres,
La douceur de l'air,
Le parfum de l'herbe
  me parlent.

Le sommet des montagnes,
Le tonnerre du ciel,
Le rythme des vagues
  me parlent.

Le scintillement des étoiles,
La fraîcheur du matin,
Les perles de rosée
  me parlent.

La puissance du feu,
La saveur du saumon,
La course du soleil
Et la vie incessante
  me parlent.

Ils me parlent
Et remplissent mon cœur
  d'allégresse.

– D'après *And My Heart Soars*, poème du chef Dan George

L'artiste Emily Carr a peint les magnifiques paysages de la Colombie-Britannique – ce tableau intitulé « Au-dessus des arbres », par exemple.

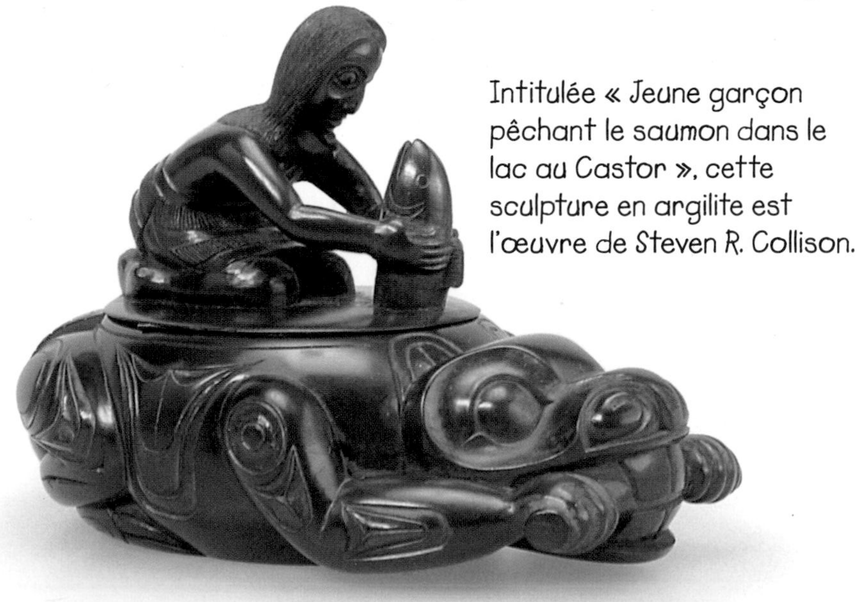

Intitulée « Jeune garçon pêchant le saumon dans le lac au Castor », cette sculpture en argilite est l'œuvre de Steven R. Collison.

Faire ◆ Discuter ◆ Découvrir

1. a) Qu'est-ce que le poète exprime au sujet de la Cordillère?
   b) À ton avis, que veut exprimer le poète en disant que tout lui parle?
2. Décris comment l'œuvre de chaque artiste de cette page représente la Cordillère.

Climat

Le climat est le temps qu'il fait habituellement dans un pays ou une région, d'après les données recueillies au fil des mois et des années. Il tient compte des températures et des précipitations. Les **précipitations** sont les chutes de pluie, de grêle ou de neige.

Le climat est très varié dans la région de la Cordillère. Les hivers sont froids et les étés sont chauds dans la partie nord. Elle reçoit environ 200 à 400 mm de précipitations annuelles.

Les chutes de neige abondantes sont fréquentes dans les forêts des montagnes.

Les températures sont plus élevées dans la partie sud de la région. Sur le littoral, il fait doux et humide. Les précipitations annuelles peuvent atteindre 2000 mm. Près du Pacifique, l'océan contribue à rendre le climat plus frais en été et plus doux en hiver.

Une prairie naturelle – de l'herbe et des fleurs – pousse sur cette pente ensoleillée.

Dans les montagnes et les vallées du plateau Intérieur, il peut faire très chaud en été et assez froid en hiver.

La pluie et le brouillard sont fréquents sur la côte du Pacifique.

Faire ◆ Discuter ◆ Découvrir

Associe-toi à un-e partenaire et discutez des questions suivantes :

1. À votre avis, où pleut-il le plus – près des côtes ou à l'intérieur des terres? Où tombe-t-il le plus de neige? Pourquoi?
2. Examinez les photos de la page 21. Quels sont les points communs et les différences entre ces paysages et la région où vous vivez?

Lecture de tableaux et de diagrammes

Les **tableaux** et les **diagrammes** servent à communiquer des informations sous une forme organisée. Le titre indique le sujet du tableau ou du diagramme. L'organisation du tableau ou du diagramme illustre les relations entre différentes informations. Dans l'exemple ci-dessous, les données sont organisées par année.

La plupart des tableaux servent à communiquer des chiffres ou **statistiques**. Le tableau ci-dessous montre la surface en kilomètres carrés de terres forestières exploitées (d'arbres coupés) dans le territoire du Yukon.

Surface estimée de terres forestières exploitées – Yukon

Année	1992	1993	1994	1995	1996
Surface estimée (km^2)	6,5	6,5	20,5	8,5	19,0

Il y a plusieurs façons de présenter les mêmes informations. Le diagramme est la représentation graphique ou visuelle des informations. Les chiffres sont représentés à l'aide de symboles ou de lignes.

Le **diagramme à images** illustre les faits en représentant les objets eux-mêmes. La légende explique la quantité représentée. Dans l'exemple ci-dessous, un arbre représente 2 km^2 de forêt exploitée.

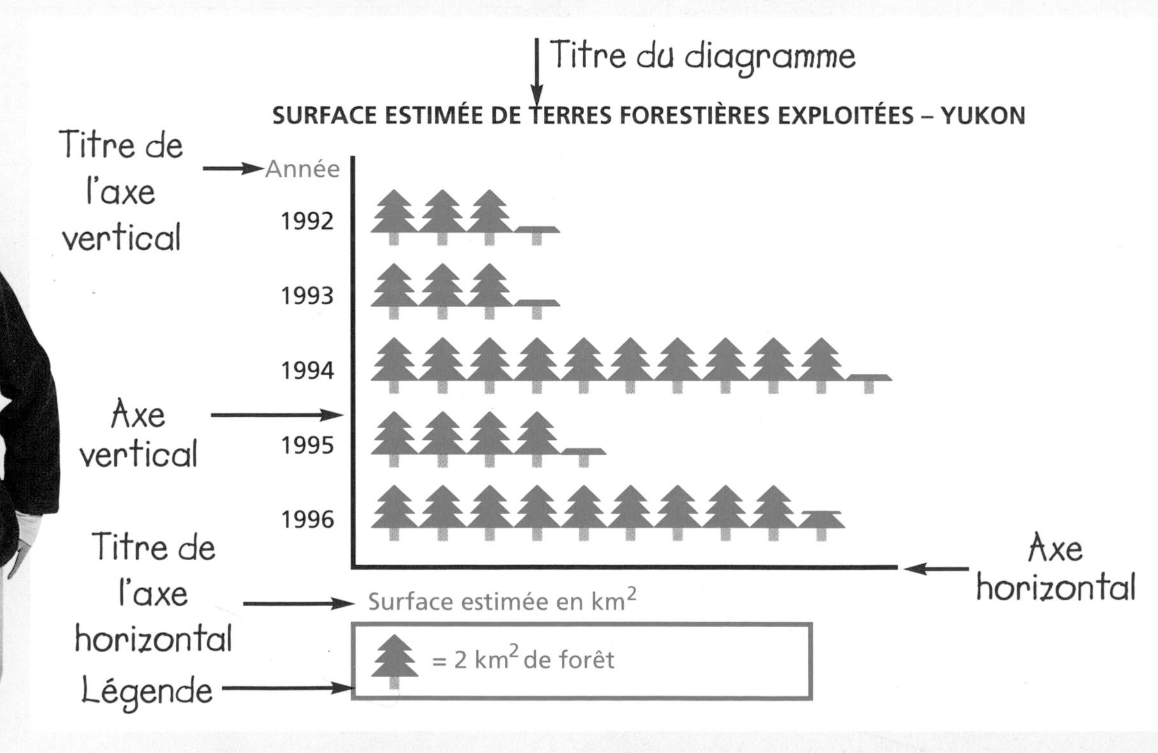

Le **diagramme à barres** présente des données au moyen de bandes verticales ou horizontales. Les unités sont indiquées sur un des deux axes. Un exemple de diagramme à barres est montré sur la page ci-contre. Les diagrammes à barres peuvent traiter d'un seul sujet ou servir à comparer plusieurs choses.

Comparaison des climats

On compare les climats d'après les températures et les précipitations moyennes.

Températures

Powell River se trouve sur la côte de la Colombie-Britannique. Penticton est située plus au sud, à l'intérieur de la C.-B. (voir la carte, page 16). Utilise les tableaux de droite pour étudier les températures moyennes de ces deux communautés.

Powell River (C.-B.) – températures moyennes en degrés Celsius											
JAN	FÉV	MAR	AVR	MAI	JUN	JUL	AOÛ	SEP	OCT	NOV	DÉC
5	7	9	12	17	20	22	22	19	13	8	5

Penticton (C.-B.) – températures moyennes en degrés Celsius											
JAN	FÉV	MAR	AVR	MAI	JUN	JUL	AOÛ	SEP	OCT	NOV	DÉC
1	4	10	15	20	25	28	28	22	5	7	1

Précipitations

En général, les régions situées près des océans sont plus humides que les régions situées à l'intérieur des terres.

Le diagramme de droite est un diagramme à barres. Il compare les précipitations moyennes à Powell River et à Penticton en hiver. Les barres représentent les quantités d'eau en millimètres.

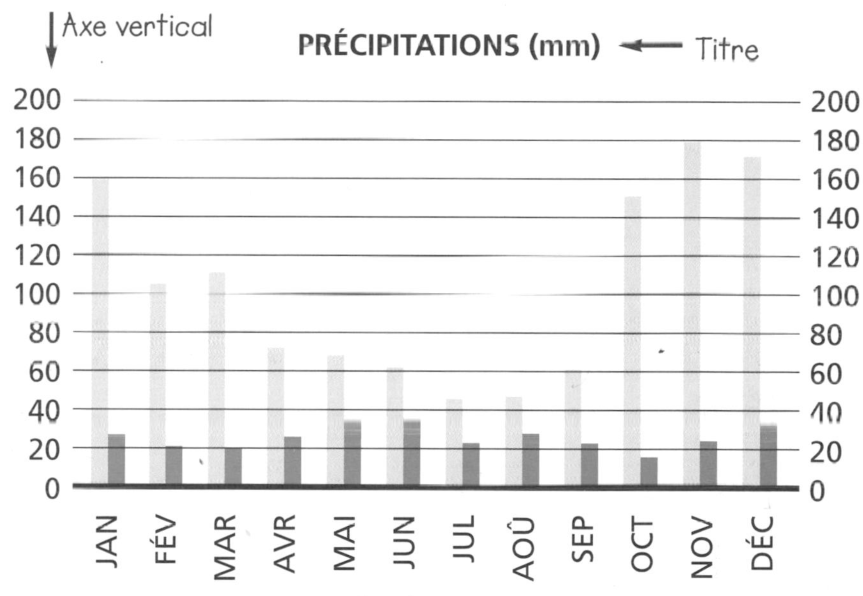

Le site Web www.statcan.ca fournit de nombreuses statistiques sur le Canada en français et en anglais.

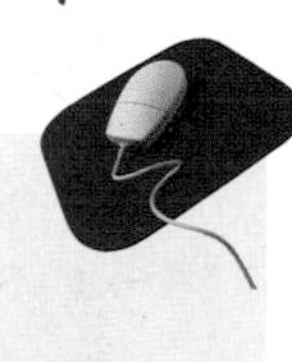

Faire ◆ Discuter ◆ Découvrir

Examine les températures et les précipitations des deux localités pour chaque saison.

1. Quelle est la ville la plus chaude en été?
2. Quelle est la ville la plus humide en été?
3. Quels sont les mois où la différence des précipitations est égale ou supérieure à 100 millimètres?
4. Pourquoi utilise-t-on le mot « précipitations » (et pourquoi pas le mot « pluies ») pour décrire le climat?

Végétation

L'arbre le plus grand du Canada est un épicéa de Sitka de 95 mètres de haut. Il se trouve dans l'île de Vancouver.

Le climat frais et pluvieux de la côte du Pacifique favorise la croissance des forêts et des arbres géants. Il y a surtout des **conifères** dans la région de la Cordillère de l'Ouest. Les conifères sont des arbres qui portent des aiguilles et des cônes. La plupart des conifères ont un feuillage persistant – c'est-à-dire qu'ils ne perdent jamais complètement leurs aiguilles.

Les plus grands conifères du Canada poussent dans la forêt pluviale de la côte du Pacifique.

En général, la végétation de la côte pousse mieux qu'ailleurs. Les plantes, les buissons et les arbres sont plus grands; les fleurs sont plus grosses.

Les vallées montagneuses de la Cordillère et certaines parties du plateau Intérieur sont couvertes de forêts. La végétation est rare au sommet des montagnes. Il y a peu de sol et les journées chaudes sont moins fréquentes que dans les vallées.

Les prairies naturelles sont la végétation dominante du plateau Intérieur. Les espèces végétales sont nombreuses et variées près des lacs et des cours d'eau.

Vie animale

Il y a de nombreuses espèces animales dans la Cordillère de l'Ouest. La région compte d'immenses zones peu peuplées. La nourriture y est abondante.

Le tétras du Canada [spruce grouse] fait son nid sur le sol. C'est une proie facile pour les prédateurs.

Les terres abritent l'ours noir, le grizzli, le cerf, le wapiti, le lynx, le couguar et le loup. On y trouve aussi beaucoup d'écureuils, de lièvres et d'autres petits animaux. La bernache du Canada, l'aigle, le corbeau et la chouette sont quelques-unes des espèces d'oiseaux de la région.

L'ours polaire et le caribou se trouvent dans les zones les plus nordiques de la région de la Cordillère.

L'océan Pacifique est l'habitat de nombreuses espèces. Le saumon est une ressource alimentaire importante. La vie marine est riche le long de la côte. On y voit souvent des baleines et des phoques, par exemple.

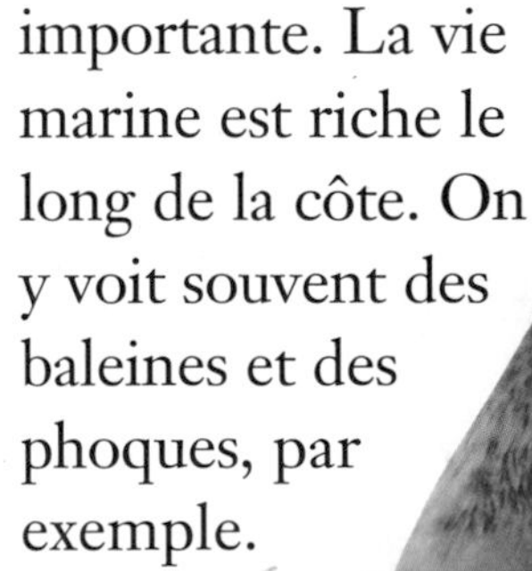

Cet énorme lion de mer semble maladroit hors de l'eau. Pourtant, c'est un nageur gracieux et agile.

Ressources naturelles

Les forêts les plus denses et les plus hautes du Canada poussent dans la région de la Cordillère de l'Ouest. Les ressources forestières fournissent les produits les plus importants de cette partie du pays.

Le **bois de résineux** ou bois résineux est le bois qui vient des conifères (c.-à-d. des arbres qui produisent de la résine). Il sert à faire de la pâte et des produits de papier. Il est également utilisé dans l'industrie de la construction. Le bois de résineux représente près de 90 p. 100 du bois de sciage produit au Canada.

Les forêts sont des ressources renouvelables : les arbres repoussent.

Les arbres servent à fabriquer beaucoup de produits : papier, carton, cellophane, contreplaqué, meubles, etc.

Le bois de construction et la pâte à papier sont vendus dans le monde entier.

Pour en savoir plus sur les ressources de la région, consulte le site de *Canadian Geographic* (www.canadiangeographic.ca) – en anglais, seulement. Tu peux aussi essayer de trouver des sites en français.

Il y a deux barrages **hydroélectriques** géants sur les cours d'eau de la région de la Cordillère : le barrage de Revelstoke sur le fleuve Columbia; le barrage WAC Bennett sur la rivière de la Paix. La force de l'eau sert à produire de l'électricité.

La région est riche en minéraux. Autrefois, des chercheurs d'or du monde entier sont venus dans la vallée du Fraser et la région de la rivière Klondike. On y trouve de l'or, du charbon, du cuivre, de l'amiante, du zinc, de l'argent, du plomb, du sable et du gravier. Les minéraux de la région sont vendus partout au Canada et dans le monde.

Cet énorme véhicule sert à exploiter une mine de cuivre à ciel ouvert, près de Kamloops (C.-B.).

Le Pacifique, les cours d'eau et les lacs sont riches en poissons. Le saumon, le flétan, le hareng et les coquillages sont des ressources importantes de la région de la Cordillère.

Située au sud, la vallée de l'Okanagan bénéficie d'un bon sol et d'un climat chaud. Elle est connue pour ses vergers. On y produit des pommes, des poires, des prunes, des cerises, des pêches, des abricots et des raisins.

Les cultures de fruits ont besoin d'étés chauds.

La préoccupation d'Annie

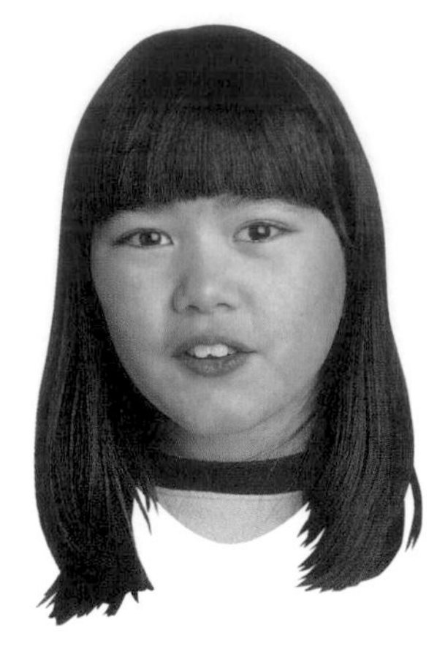

Ma mère est membre de la Gendarmerie royale du Canada (GRC). Elle doit souvent collaborer avec le ministère des Ressources naturelles – pour faire respecter les lois sur l'exploitation des forêts. C'est une des responsabilités importantes de son poste.

Pour moi, les forêts jouent un rôle important dans l'environnement. Elles abritent beaucoup d'animaux, d'oiseaux, de plantes et d'autres formes de vie.

La forêt est leur habitat. Quand les forêts sont détruites, ces créatures vivantes risquent de disparaître.

J'ai peur qu'on détruise les forêts sans planifier, sans réfléchir suffisamment à l'avenir de notre environnement.

Faire ◆ Discuter ◆ Découvrir

1. Nos forêts sont une ressource importante. Indique trois façons de préserver les forêts canadiennes.
2. Les forêts créent de nombreux emplois. Fais un remue-méninges pour faire la liste des emplois liés à l'exploitation et à la préservation de nos forêts.
3. Quels mots, idées et images pourrais-tu utiliser pour créer une affiche destinée à promouvoir les forêts?

Chapitre 2

Compréhension des concepts

1. Recopie le tableau ci-dessous dans ton cahier. Commence par écrire le titre de ce tableau. Indique le nom de la région physique que tu décris. Relève toutes les informations que tu as apprises dans ce chapitre et dans tes notes.

Région physique :	
SUJETS	CE QUE J'AI APPRIS
Traits physiques	
Climat	
Végétation	
Vie animale	
Ressources naturelles	

Exemple

2. Relève les termes de ce chapitre que tu ajouteras dans la partie Vocabulaire de ton cahier. Fais des diagrammes ou des petits dessins qui t'aideront à retenir les mots et leurs définitions.

Habiletés de recherche et de communication

3. Associe-toi à un-e partenaire. Faites une recherche sur les métiers de l'industrie forestière. Suivez le modèle de recherche de la page 14. Créez une affiche d'Offre d'emploi pour un de ces métiers. Choisissez ou créez des images qui serviront à attirer l'attention des gens et à les convaincre de proposer leurs services.

Habiletés de lecture et de création des cartes/globes

4. Crée tes propres symboles pour représenter les ressources naturelles de la région de la Cordillère. Place-les sur une carte-croquis de la région. Inclus une légende.

Application des concepts et habiletés à d'autres contextes

5. Imagine que tu déménages dans la région de la Cordillère. Rédige une lettre ou un message électronique qui exprimera tes sentiments et tes attentes.

Projet sur le Canada

1. Trouvez une boîte à chaussures. Elle servira à ranger les cartes et les divers objets que votre groupe aura recueillis ou créés tout au long du projet. Décorez-la de façon amusante et intéressante. Décorez aussi la couverture de votre album de découpures.
2. Commencez une carte du Canada. Sur une carte-croquis du Canada, coloriez la région de la Cordillère. Indiquez les provinces et les territoires qui se trouvent dans cette région. Ajoutez les informations importantes. (Consultez les cartes de la page 16, du début et de la fin du manuel.) Vous continuerez à travailler à cette carte aux chapitres 3 à 8.
3. Consultez un atlas pour trouver un système fluvial qui traverse la province ou le territoire de votre groupe. Faites un petit diagramme et rédigez une courte description pour votre album de découpures.

Chapitre 3
Les Plaines intérieures

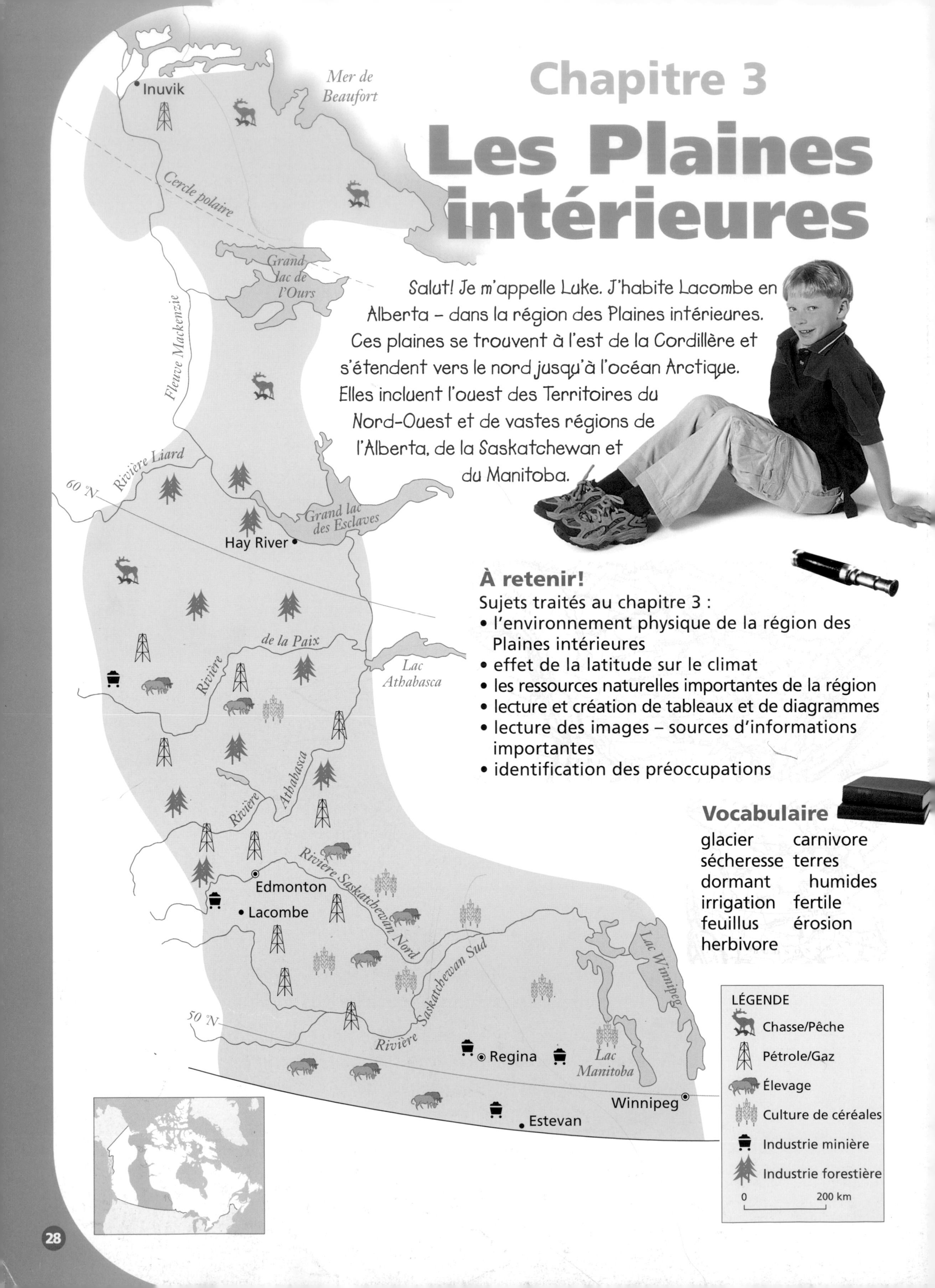

Salut! Je m'appelle Luke. J'habite Lacombe en Alberta – dans la région des Plaines intérieures. Ces plaines se trouvent à l'est de la Cordillère et s'étendent vers le nord jusqu'à l'océan Arctique. Elles incluent l'ouest des Territoires du Nord-Ouest et de vastes régions de l'Alberta, de la Saskatchewan et du Manitoba.

À retenir!

Sujets traités au chapitre 3 :

- l'environnement physique de la région des Plaines intérieures
- effet de la latitude sur le climat
- les ressources naturelles importantes de la région
- lecture et création de tableaux et de diagrammes
- lecture des images – sources d'informations importantes
- identification des préoccupations

Vocabulaire

glacier
sécheresse
dormant
irrigation
feuillus
herbivore
carnivore
terres humides
fertile
érosion

Traits physiques

La région des Plaines intérieures est une immense étendue plate ou ondulée. Elle se compose de plusieurs paliers. Le plus élevé se trouve dans les **contreforts** des Rocheuses. La région descend à peu près au niveau de la mer au Manitoba et dans les Territoires du Nord-Ouest.

Il y a près de 18 000 ans, deux immenses champs de glace recouvraient presque tout le Canada. À certains endroits, ils mesuraient jusqu'à deux kilomètres d'épaisseur. Ces **glaciers** se sont accumulés très lentement, pendant une longue période de refroidissement de la Terre.

Sous le poids des glaciers, le sol s'est affaissé. Quand les glaciers ont fondu, des cours d'eau et des lacs immenses se sont formés. Peu à peu, ces lacs sont devenus plus petits, mais ils sont encore nombreux. L'époque glaciaire a laissé beaucoup de roches, de gravier, de sable et de **limon**. Ces débris ont formé des collines et de vastes zones de plaines.

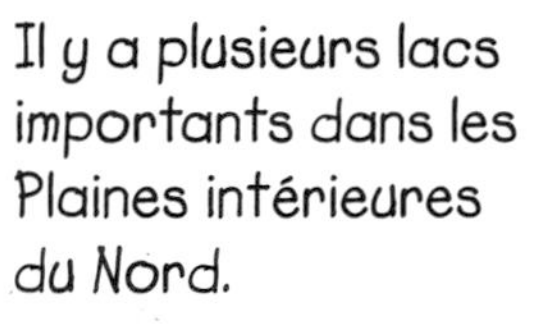

Il y a plusieurs lacs importants dans les Plaines intérieures du Nord.

La plupart des lacs et des cours d'eau importants du Canada se trouvent dans les Plaines intérieures. Plusieurs fleuves prennent leur source dans les Rocheuses. Ils s'écoulent vers le nord et l'est pour se jeter dans l'Arctique et la baie d'Hudson.

Le delta du Mackenzie et le Sud du Manitoba sont les zones les plus basses et les plus plates des Plaines intérieures.

Dans les plaines où la pente est faible, les cours d'eau coulent difficilement. C'est pourquoi les inondations sont fréquentes.

Le parc national des Prairies a été créé dans le Sud-Ouest de la Saskatchewan pour préserver la végétation des prairies naturelles.

Climat

Le climat des Plaines intérieures est plus extrême que celui de la Cordillère de l'Ouest. En général, les hivers sont froids et les étés sont chauds.

Les précipitations y sont plus rares que dans la plupart des autres régions du Canada. Parfois, il y a des périodes de **sécheresse** : c'est-à-dire qu'il ne pleut pas du tout pendant longtemps.

Dans les Plaines intérieures, les hivers sont extrêmement froids et ensoleillés.

Les cultures ont besoin de soleil et de pluie.

La latitude

La température d'un lieu varie selon l'endroit où il se trouve. Au Canada, par exemple, plus on se dirige vers le Nord, plus il fait froid. Les jours sont courts en hiver. Le soleil dégage peu de chaleur. La **latitude** permet de situer un lieu à la surface de la Terre.

Les lignes de latitude sont des parallèles imaginaires qui encerclent la Terre. Elles sont parallèles à l'équateur. Les latitudes sont comptées en degrés – de 0 à 90° – à partir de l'équateur vers les pôles Nord et Sud.

Le 49e parallèle de latitude Nord (49e parallèle) forme presque la totalité de la frontière Sud du Canada. L'espace entre l'équateur et le pôle Nord se subdivise en 90 degrés de latitude. La totalité du territoire canadien se trouve donc dans la moitié de l'hémisphère Nord la plus proche du pôle Nord. Pas étonnant qu'il fasse froid en hiver!

Le symbole des degrés [°] est utilisé pour les angles et les températures.

Faire ◆ Discuter ◆ Découvrir

1. a) Examine un atlas pour situer le Canada par rapport à l'équateur.
   b) Quelle est la latitude de la région du Canada située le plus au sud? Et la latitude de la région située le plus au nord?

C'est quoi le temps?

Températures

Dans les Plaines intérieures, la température varie d'un endroit à l'autre selon la latitude. Le diagramme ci-dessous compare les températures d'Estevan en Saskatchewan et de Hay River dans les Territoires du Nord-Ouest (voir la carte, page 28).

TEMPÉRATURES MOYENNES EN DEGRÉS CELSIUS

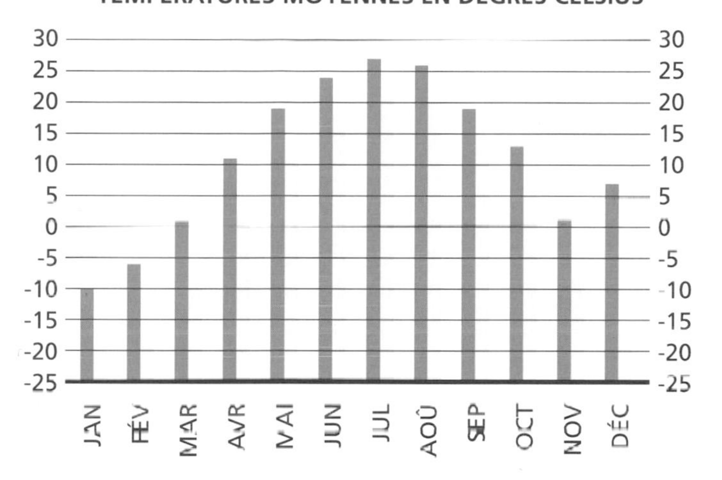

Estevan (Sask) Hay River (T.N.-O.)

Précipitations

Regina (Saskatchewan) et Powell River (Colombie-Britannique) sont deux localités situées au 50e parallèle de latitude Nord. Pourtant, leurs climats sont très différents. À Regina, les précipitations moyennes annuelles sont de 364 millimètres – soit 30 mm par mois. Consulte le diagramme de la page 23 pour trouver les précipitations à Powell River. L'illustration de droite représente les précipitations des deux localités. Parce que la ville se trouve près de l'océan, il pleut davantage à Powell River.

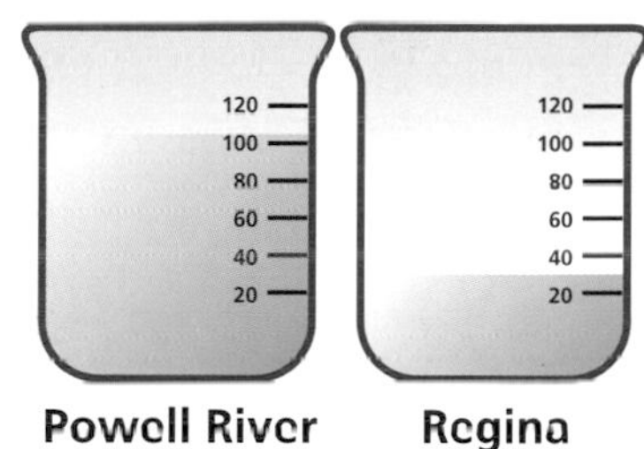

Faire ◆ Discuter ◆ Découvrir

1. Consulte un atlas pour trouver la latitude d'Estevan et de Hay River. Une des deux localités est beaucoup plus au nord que l'autre. Quelle est la différence entre les deux latitudes?
2. Dessine deux thermomètres côte à côte dans ton cahier. Montre la différence entre les températures moyennes d'Estevan en juillet et en janvier. Rédige une ou deux phrases pour exprimer cette différence.
3. Compare les températures de Hay River et d'Estevan en avril, mai et juin. Où fait-il le plus froid? Pourquoi, à ton avis?

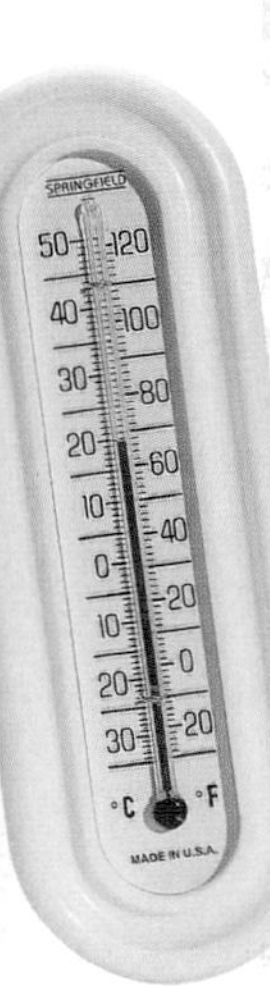

Exercice pratique

Au sein d'un groupe, étudie comment la pluie se produit. Demande à un-e adulte de t'aider, si nécessaire.

Tu auras besoin de ce qui suit :

- une grande casserole d'eau
- des cubes de glace
- un brûleur ou un réchaud
- une petite casserole
- ton cahier.

1. Fais bouillir une grande casserole d'eau. Place les cubes de glace dans la petite casserole.
2. Tiens la petite casserole au-dessus de la grande casserole.
3. Observe comment la vapeur de l'eau bouillante se condense à l'extérieur de la petite casserole.
4. Peu à peu, la vapeur condensée formera de grosses gouttes qui tomberont dans la grande casserole.
5. Dessine plusieurs diagrammes dans ton cahier pour montrer ce qui arrive à chaque étape de cet exercice. Explique tes diagrammes par écrit.

Lecture des images

Quand tu fais des recherches, tu recueilles des informations à partir de sources différentes. Les **images** sont des sources d'information importantes. Il y a toutes sortes d'images : les photos, par exemple, et les formes d'arts visuels telles que les tableaux, les dessins et les sculptures.

Les œuvres des artistes sont soigneusement composées. Tous les éléments d'une image ont un sens particulier – une raison d'être. Quand tu « lis » une image, essaie d'abord de voir quel est le sujet. Ensuite, examine les détails. Détermine ce que les détails racontent sur le sujet; demande-toi pourquoi ils font partie de l'image.

Cherche des informations au premier plan ou à l'avant-plan. Le plus souvent, c'est là qu'on trouve le sujet de l'image. En général, les éléments importants de l'image sont les plus visibles : ils sont plus grands et plus évidents; ils occupent le centre; ils attirent l'attention.

Puis, examine le deuxième plan et l'arrière-plan. Ils montrent où le sujet est situé. Ils apportent des détails supplémentaires sur l'environnement ou le décor.

En général, les images provoquent un sentiment sur un sujet particulier.

Illustration d'Yvette Moore pour « A Prairie Alphabet », de Jo Bannatyne-Cugnet

Les arts des Plaines

Illustration d'Yvette Moore pour « A Prairie Alphabet », de Jo Bannatyne-Cugnet

Faire ◆ Discuter ◆ Découvrir

1. Quel est le sujet de chaque image des pages 32 et 33?
2. Décris le deuxième plan et l'arrière-plan de chaque image.
3. Décris ce que tu vois et le sentiment que chaque image provoque chez toi.
4. Dessine un diagramme en toile d'araignée pour chaque image. Identifie les éléments de chaque image qui représentent l'environnement des Plaines intérieures.
5. Choisis une de ces images. Rédige un récit d'une page sur les personnages et les événements qu'elle représente. (Si ta province ou ton territoire fait partie des Plaines intérieures, tu pourras peut-être inclure ce récit dans ton album ou ta boîte à chaussures. Sinon, classe-le dans ton cahier.)

Végétation

Au sud, la prairie naturelle est la végétation dominante des Plaines intérieures. En période de sécheresse, l'herbe brunit et passe au stade **dormant**. C'est-à-dire qu'elle attend la pluie avant de produire de nouvelles pousses vertes. Dans certaines régions, on utilise l'**irrigation** pour arroser les cultures des zones sèches.

Près des points et des cours d'eau, on trouve des arbres et des buissons. Mais ils ne sont pas aussi grands que les arbres de la Cordillère. La plupart sont des **feuillus**. Ils perdent leur feuillage à l'automne et passent au stade dormant. De nouvelles feuilles poussent au printemps, quand il fait plus humide.

Le parc national Elk Island (Alberta) protège à la fois la végétation naturelle et le troupeau de bisons de la région.

Dans les zones les plus nordiques, l'hiver est froid et l'été est extrêmement court. Il n'y a plus d'arbres. On ne trouve que de petites plantes, de l'herbe et des mousses.

Vie animale

Les prairies, les forêts et les plaines du Nord abritent de nombreuses espèces animales.

Le cerf, l'antilope, le wapiti, l'orignal et le caribou sont des **herbivores**. Ils se nourrissent de feuilles et d'herbe.

Il y a des troupeaux d'antilopes dans le parc national des Prairies.

Les **carnivores** sont les animaux qui chassent pour se nourrir de viande. Dans la partie Sud des plaines, ce sont les coyotes, les faucons et les aigles; dans la partie Nord, ce sont les loups et les ours polaires, par exemple.

Les canards, les oies, les cygnes et le gibier d'eau passent l'été dans le Nord. En automne, ils forment d'immenses troupeaux **migrateurs**. Ils s'arrêtent dans les champs de céréales des plaines et des terres humides pour se nourrir et se reposer de leur long voyage. Les **terres humides** sont des endroits marécageux ou qui restent partiellement inondés toute l'année.

Comme ces canards, par exemple, le gibier d'eau migrateur parcourt de grandes distances pour changer d'habitat selon les saisons.

Ressources naturelles

Les Plaines intérieures sont très riches en ressources minérales. On y exploite beaucoup de charbon et de potasse, ainsi que d'immenses gisements de pétrole et de gaz naturel. On accède au gaz et au pétrole en creusant des puits profonds dans le sol.

La plus grande région agricole du Canada se trouve aussi dans le Sud des Plaines intérieures. Le sol est **fertile**. Il contient ce qu'il faut pour produire de bonnes récoltes. Les céréales telles que le blé, l'avoine, l'orge et le seigle poussent bien dans les Plaines. Les céréales sont des plantes dont les graines servent à nourrir les êtres humains et les animaux.

Les Plaines intérieures produisent 90 p. 100 de la potasse du Canada. La potasse est un des éléments importants des engrais.

Les céréales, le pétrole et le gaz naturel des Plaines intérieures sont vendus au Canada et dans le monde entier.

Les sols

Les sols forment la couche de la Terre où les plantes peuvent pousser. C'est le mélange de fines particules de roches, de débris de plantes et d'animaux en décomposition. Les plantes poussent dans la couche supérieure appelée couche arable.

Dans la plupart des endroits, les sols forment une mince couche qui recouvre la roche-mère de la Terre. Il faut des milliers d'années pour que le sol se forme naturellement. C'est pourquoi l'**érosion** est un problème grave. Quand l'eau, le vent, la glace ou les machines usent la couche arable, ils détruisent donc une ressource non renouvelable.

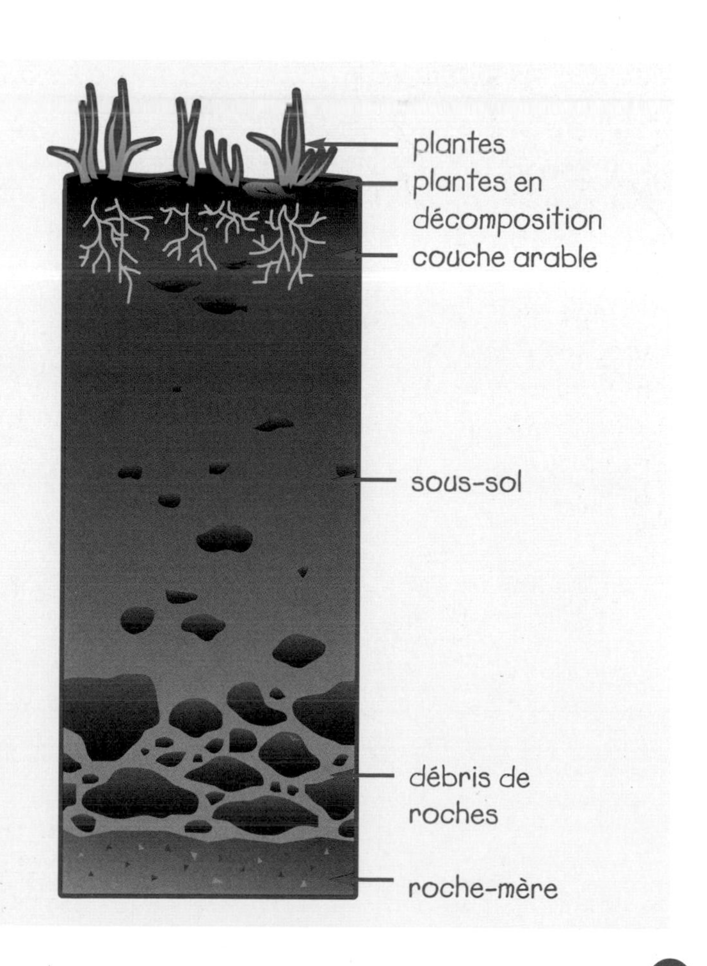

La préoccupation de Luke

J'habite une ferme avec ma famille, près de Lacombe. La région Sud des Plaines intérieures est la plus grande productrice de blé du Canada. On y cultive aussi d'autres céréales – du seigle, de l'avoine et de l'orge.

La plupart des agriculteurs utilisent des engrais et des pesticides. Ces produits permettent d'augmenter la production. Mais l'eau de pluie peut aussi les entraîner jusque dans les cours d'eau. Ils polluent nos réserves d'eau souterraines.

Certains agriculteurs ont peur d'endommager l'environnement. Ils évitent les pesticides; ils essayent d'employer des produits organiques – des engrais naturels, par exemple. Malheureusement, ces méthodes ne donnent pas d'aussi bons rendements.

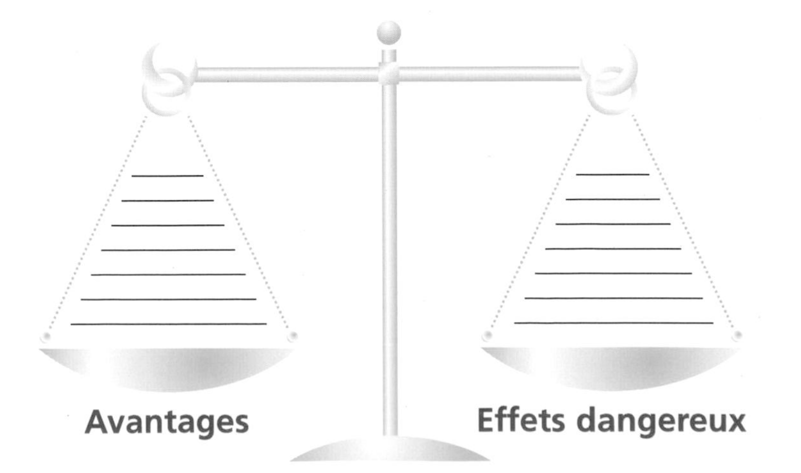

Faire ◆ Discuter ◆ Découvrir

1. Fais un remue-méninges pour trouver le plus grand nombre possible de produits agricoles qui viennent des Plaines intérieures.
2. Peux-tu expliquer ce qu'est une méthode agricole « organique »? Donne un exemple.
3. Avec tes camarades, discute des avantages des pesticides et des engrais. Ensuite, décris ses inconvénients pour nous et pour l'environnement.

Chapitre 3

Compréhension des concepts

1. Dessine un tableau comme celui de la page 27 du chapitre 2. Écris le titre : « Les Plaines intérieures ». Utilise les informations de ce chapitre et de tes notes pour remplir toutes les parties du tableau. Classe-le dans ton cahier.
2. Relève les termes de ce chapitre que tu ajouteras dans la partie Vocabulaire de ton cahier. Fais des diagrammes ou des petits dessins qui t'aideront à retenir les mots et leurs définitions.
3. Examine les dessins ci-dessous. Décris ce que chaque dessin nous dit sur la région des Plaines intérieures.

Habiletés de recherche et de communication

4. Étudie la liste d'ingrédients de trois boîtes de céréales. Indique le nom des céréales et le type de grains qu'elles contiennent.

Habiletés de lecture et de création des cartes/globes

5. Sur une carte-croquis d'Amérique du Nord, dessine et indique les parallèles à 5 degrés d'intervalle entre le 45e et le 80e degré de latitude N. Classe cette carte dans ton cahier.

Application des concepts et habiletés à d'autres contextes

6. Crée une carte postale des Plaines intérieures pour un-e amie. Montre une ou plusieurs caractéristiques importantes de la région. Au verso de la carte, explique pourquoi cette image est typique des Plaines intérieures pour toi.

Lien avec Internet

7. Pour en savoir plus sur le célèbre musée des dinosaures dans les Plaines intérieures, fais la visite virtuelle du Royal Tyrrell Museum **www.tyrrellmuseum.com** ou **www.museums.ca/fr/publications/muse/1994/ete94/reidf.htm**.

Projet sur le Canada

1. Reprenez la carte-croquis du Canada que vous avez utilisée à la fin du chapitre 2. Coloriez la région des Plaines intérieures. Indiquez les provinces et territoires situés dans cette région. Ajoutez les informations importantes. (Consultez les cartes de la page 28, du début et de la fin du manuel.)
2. Trouvez ou créez une image qui donne des informations et une impression particulière de votre province ou territoire. Au verso, en vos propres mots, décrivez le premier plan, le deuxième plan et l'arrière-plan.

Les basses-terres de l'Arctique

LÉGENDE
Chasse/Pêche
Industrie minière
Pétrole/Gaz
0 200 km

80 °N
ÎLE D'ELLESMERE
ÎLES DE LA REINE-ÉLISABETH
Mer de Beaufort
ÎLE BANKS
PETITE ÎLE CORNWALLIS
Tuktoyaktuk
Delta du Mackenzie
ÎLE VICTORIA
70 °N
ÎLE DE BAFFIN
Cercle polaire

Bonjour! Je m'appelle Robert. Je vis dans les basses-terres de l'Arctique depuis cinq ans. Cette petite région comprend la côte du Grand Nord canadien et de nombreuses îles de l'océan Arctique; certaines parties du territoire du Yukon, les Territoires du Nord-Ouest et le Nunavut. Elle n'inclut pas les îles montagneuses de la pointe extrême du Canada.

Presque toute la région des basses-terres de l'Arctique est située au nord du cercle polaire. Le cercle polaire se trouve au 63,5 ° de latitude N.

À retenir!

Sujets traités au chapitre 4 :

- l'environnement physique des basses-terres de l'Arctique
- adaptation des animaux à leur milieu
- interprétation des idées exprimées dans les chansons, les sculptures et les légendes
- prise de notes
- l'exploration des ressources naturelles : ses effets sur l'environnement
- identification des préoccupations

Vocabulaire

cercle polaire [arctique]
époque glaciaire
pergélisol
pingo
glace marine
toundra
stérile
limite [nordique] des arbres
adaptation
ressources non renouvelables

Traits physiques

Les basses-terres de l'Arctique regroupent principalement des îles peu élevées et certaines parties de la côte Nord du Canada. Il y a environ 18 000 ans, il faisait très froid sur la Terre. Tout ce territoire était couvert de glaciers. C'est pourquoi cette période est appelée l'**époque glaciaire**.

La côte est formée de terres basses, mais certaines îles du Nord sont élevées.

Les basses-terres de l'Arctique sont de grandes étendues de plaines rocheuses et marécageuses. Le sol est mince et la végétation est rare. En été, seule la couche supérieure peut fondre. Le sous-sol reste gelé toute l'année. Cette couche gelée en permanence est appelée le **pergélisol**.

Dans les zones de pergélisol, on trouve aussi des collines appelées **pingos** en inuit. Les pingos ont un noyau de glace dure. Ils grossissent graduellement – à mesure que le noyau de glace augmente au centre.

Ces touristes photographient un grand pingo dans le delta du Mackenzie.

En hiver, la **glace marine** se forme dans l'eau salée de l'océan et des détroits (les passages entre les îles). En été, la glace fond ou se décompose en morceaux de glaces flottantes ou floes. Ces floes peuvent mesurer quelques mètres ou plusieurs kilomètres de diamètre.

Les baleines ont besoin de trouver des ouvertures dans la glace pour respirer.

Parce que les basses-terres de l'Arctique ont un relief plat, on peut apercevoir ces caribous de loin.

Climat

Heures d'ensoleillement à Inuvik

21 décembre
0,0 heure

21 mars
12,5 heures

21 juin
24,0 heures

21 septembre
12,5 heures

Températures

Dans l'Arctique, l'été est court mais ensoleillé. Au milieu de l'été, le soleil ne se couche pas du tout. Les grandes chaleurs sont rares, mais il fait bon et le ciel est clair. La température peut atteindre 15 °C.

Parce que l'été est très court, les plantes comme ces dryades à feuilles entières [mountain avens] produisent rapidement des graines.

Les hivers sont longs et très froids. En janvier, les températures peuvent atteindre 45 °C sous zéro. Au milieu de l'hiver, le soleil ne se lève plus du tout.

Précipitations

Les précipitations sont faibles dans les basses-terres de l'Arctique. Les pluies sont rares en été. Il y a quelques chutes de neige en hiver, mais la région reçoit moins de neige que la plupart des autres zones du Canada.

Les aurores boréales éclairent l'obscurité. Ce phénomène de lumière survient quand l'énergie du soleil atteint des particules de l'atmosphère, haut dans le ciel.

Les aurores boréales sont un phénomène lumineux qui apparaît dans le Nord – dans l'atmosphère des régions polaires, surtout.

Les habitations et les vêtements doivent protéger les gens du froid extrême.

Végétation

Les traits physiques et le climat des basses-terres de l'Arctique influent sur la végétation de la région. Les sols minces, les températures froides, les faibles précipitations, l'été court et le pergélisol jouent un rôle déterminant.

La végétation se limite à de petites plantes dispersées, des mousses et des arbustes bas. Ces espèces caractérisent la **toundra**. Pendant les longues journées d'été, beaucoup de petites plantes produisent des fleurs aux couleurs vives.

La végétation de la toundra ressemble à celle des hautes montagnes, au-dessus de la limite des arbres – zone où les arbres ne poussent plus.

Certains lieux sont **stériles**. Il n'y pousse presque rien. La végétation de la toundra pousse lentement. L'environnement est fragile. La moindre modification peut avoir des conséquences graves.

Un pêcheur vient de poser cet omble chevalier (omble arctique) sur la végétation de la toundra.

Vie animale

Les animaux des basses-terres de l'Arctique ont fait certaines **adaptations**. C'est-à-dire qu'ils ont des caractéristiques qui leur permettent de survivre. Les animaux terrestres ont une fourrure épaisse. Dans beaucoup de cas, cette fourrure blanchit en hiver – ce qui les rend presque invisibles sur la neige. Le caribou, le bœuf musqué, l'ours polaire, le renard arctique et le lièvre arctique sont quelques-uns de ces animaux terrestres.

Le caribou de Peary se trouve seulement sur quelques îles de l'Arctique. C'est une espèce en danger de disparition.

L'océan aussi abrite des espèces animales – des baleines, des phoques et des morses, surtout. Leur épaisse couche de graisse est une adaptation qui les protège de l'eau glacée. Ils sont capables de nager sous l'eau, mais ils doivent trouver des trous dans la glace et remonter à la surface pour respirer.

De nombreux oiseaux vivent dans l'Arctique en été. Le huard, l'oie des neiges, le harfang des neiges et la mouette blanche viennent se reproduire dans la région. À l'automne, après avoir élevé leurs petits, ils repartent vers le sud.

Le harfang des neiges chasse le jour.

Faire ◆ Discuter ◆ Découvrir

Rédige tes réponses à ces questions dans ton cahier :

1. Indique deux points communs qui caractérisent les sommets élevés des basses-terres de l'Arctique.
2. La fourrure blanche du lièvre ou du renard arctique est un avantage en hiver. Explique pourquoi.

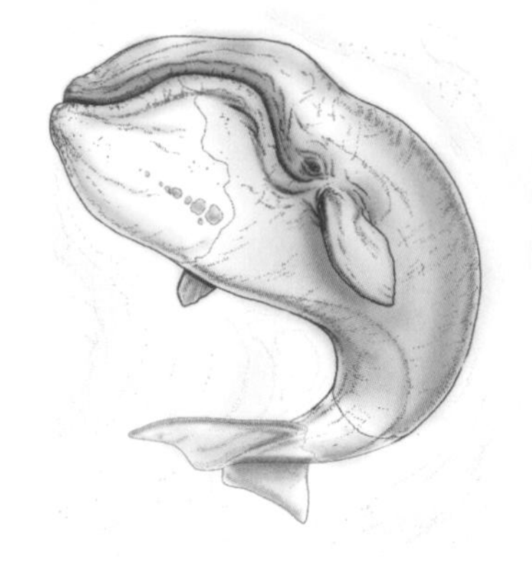

Le cadeau de la Baleine

Quand le Grand Esprit a fait la Terre, il a créé beaucoup de choses bonnes et belles : le soleil, la lune et les étoiles; les vastes territoires et leur couverture de neige blanche; les montagnes et l'océan. Il a fait toutes sortes de poissons et toutes sortes d'oiseaux. Il a fait les phoques, les morses et les ours. Puis, le Grand Esprit a créé le peuple inupiaq. Il avait un grand amour pour ce peuple et lui a montré comment vivre en tirant parti de l'environnement.

Puis, avec le plus grand soin, le Grand Esprit a décidé de faire une dernière créature, le sommet de la Création : la baleine boréale. Sans nul doute, la plus belle, la meilleure de toutes! À la nage et en chantant, elle a traversé l'océan – en parfait équilibre avec tout ce qui l'entourait.

Mais le Grand Esprit a compris autre chose encore. Il a compris que le peuple inupiaq avait besoin de la baleine boréale pour survivre. Il avait besoin de manger du muktuk – la chair de la baleine, pour se tenir au chaud et en bonne santé durant les longues nuits d'hiver. Il avait besoin de ses os pour construire ses maisons. Il avait besoin de chaque partie de la Grande Baleine.

Alors, le Grand Esprit a offert la baleine boréale au peuple inupiaq. Il lui a permis de chasser la baleine dans des bateaux couverts de peau de phoque. Il lui a réservé une époque spéciale au printemps, durant laquelle la glace de l'océan s'ouvrirait pour laisser passer la baleine. Dans ce passage libre, la baleine pourrait monter à la surface de l'eau et se laisser atteindre par les harpons du peuple inupiaq. La baleine reviendrait chaque année – aussi longtemps que le peuple inupiaq lui exprimerait du respect et ne prendrait que le nécessaire à la survie.

Mais le Grand Esprit a pris une dernière décision. Chaque année, quand le passage libre se forme et que la baleine remonte à la surface pour être chassée, le Grand Esprit a décidé de placer un épais brouillard au-dessus de la glace, au-dessus de la tête de la baleine et des chasseurs inupiaqs, entre le ciel et l'océan. « Bien que je te permette de tuer la plus parfaite de mes créatures, a dit le Grand Esprit, je ne veux pas assister à la chasse. »

– D'après la légende du peuple inupiaq

Faire ◆ Discuter ◆ Découvrir

1. Collectivement, discutez de ce qui suit :
   a) Définissez le mot « légende ».
   b) Quel cadeau spécial le Grand Esprit a-t-il offert au peuple inupiaq?
   c) Pourquoi ce cadeau est-il spécial?
   d) Comment le peuple inupiaq utilise-t-il la baleine boréale?
   e) Quels outils le Grand Esprit a-t-il donnés au peuple inupiaq pour l'aider à chasser la baleine?
   f) Comment le Grand Esprit a-t-il aidé les baleines?
   g) Pourquoi devrait-on protéger la baleine boréale?

Les arts des basses-terres de l'Arctique

La Terre et les êtres humains

La Terre a été créée avant les
êtres humains.
Les tout premiers
sont sortis du sol.
Tout est venu du sol.
Même le caribou.
Autrefois, les enfants
poussaient hors du sol.
Comme les fleurs.
Les femmes qui se promenaient
les ont trouvés étendus sur
l'herbe.
Elles les ont emmenés chez elles
et les ont nourris.
C'est ainsi que les êtres humains se
sont multipliés.

Ainsi, ce territoire
est devenu habitable.
Parce que nous sommes venus ici
Et que nous avons appris à chasser.

– D'après un chant
traditionnel inuit

Avec Martina Anavilok, Bessie Hikomak montre la tapisserie en peau de phoque qu'elle a créée.

Cette « Chasse au morse » (1987) est l'œuvre de Jimmy « Smith » Arnamissak.

Faire ◆ Discuter ◆ Découvrir

1. Avec les membres de ton petit groupe, discute des paroles du chant ci-dessus. Partagez vos pensées avec le reste de la classe. Puis, réponds à la question suivante dans ton cahier :
   a) Comment l'auteur du chant ci-dessus t'aide-t-il à comprendre que la Terre est source de vie?
2. Explique comment la sculpture et la tapisserie représentent la vie dans les basses-terres de l'Arctique.
3. Fais un dessin pour illustrer ton passage préféré de ce chant ou dessine une sculpture ou une tapisserie représentant cette région. (Tu le [la] mettras dans ton cahier ou dans l'album ou la boîte à chaussures de votre projet collectif.)

Cornes et pattes

Faire ◆ Discuter ◆ Découvrir

Faites l'exercice suivant par groupes de trois élèves :

1. Consultez des sources différentes (livres, Internet, encyclopédies) pour trouver le nom des animaux représentés ci-dessus.
2. Partagez vos connaissances sur les animaux de l'Arctique.
3. Utilisez un tableau comme celui de la page 12 pour comparer ces animaux et ceux des autres régions du Canada que vous avez étudiés. Classez ce tableau dans votre cahier.

Exercice pratique

Pour cette activité individuelle, tu dois créer la trace d'un animal.

Tu auras besoin de ce qui suit :

- argile ou pâte autodurcissante
- papier ciré
- outil de sculpteur
- image d'une empreinte de patte ou de sabot
- peinture foncée.

1. Trouve l'image d'une empreinte de patte ou de sabot.
2. Recouvre ton pupitre de papier ciré avant de commencer.
3. Forme une petite boule d'argile; aplatis-la pour faire une galette d'environ 2 cm d'épaisseur.
4. Étudie l'image de l'empreinte. Elle guidera ton travail et te permettra de déterminer le relief en creux de la trace ou de l'empreinte.
5. Creuse l'argile pour reproduire la trace que pourrait laisser la patte ou le sabot d'un animal.
6. Place la sculpture sur le côté et laisse l'argile durcir jusqu'au lendemain.
7. Utilise un peu de peinture foncée pour mettre ton travail en valeur.
8. Donne-lui un titre.

Ressources naturelles

Excepté la vie animale, les ressources renouvelables sont rares dans la région des basses-terres de l'Arctique. Il n'y a pas de terres agricoles ni de forêts. Les animaux terrestres et aquatiques fournissent les ressources qui permettent à la population de se nourrir et de s'habiller. Certains produits sont vendus à l'extérieur de la région.

La région a d'importantes ressources **non renouvelables** – du zinc, du plomb, du pétrole, du gaz naturel et du charbon. On dit qu'elles sont non renouvelables parce qu'elles disparaissent une fois qu'on les a utilisées.

Le plomb et le zinc sont exploités dans la Petite île Cornwallis et l'extrémité Nord de l'île Baffin (Nunavut).

Située sur la Petite île Cornwallis, la mine Polaris est la mine la plus au nord du monde.

Il y a un grand champ de pétrole sous la mer de Beaufort et le delta du Mackenzie (Territoires du Nord-Ouest). Les sociétés pétrolières explorent la région et y creusent des puits depuis les années 1970.

Le coût de production et de transport du pétrole et du gaz vers les marchés du Sud est très élevé. C'est pourquoi l'exploitation du pétrole et du gaz reste limitée dans cette partie de la région.

La région des basses-terres de l'Arctique fournit d'autres produits qui sont vendus au Canada et dans le monde : des fourrures, du poisson congelé tel que l'omble chevalier, des sculptures en stéatite et d'autres œuvres d'art.

L'omble chevalier ressemble au saumon. C'est une source de nourriture et de revenu pour la population de la région.

La stéatite ou pierre de savon est une roche tendre, facile à sculpter. On en trouve presque partout au Canada, y compris dans le Grand Nord. Les œuvres des artistes inuits se vendent dans le monde entier.

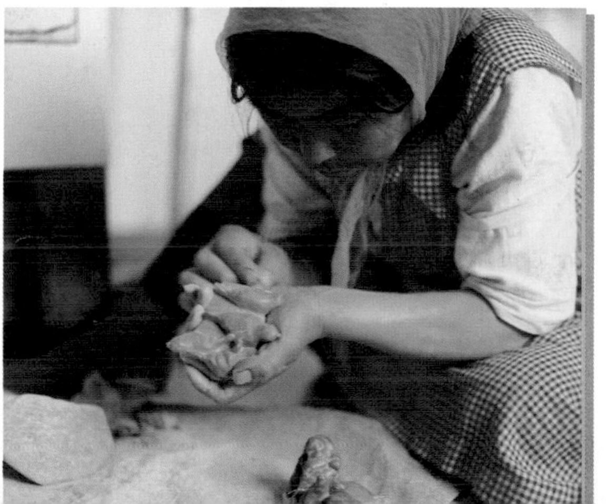

La plupart des sculptures inuites montrent les liens qui unissent la population et les animaux de la région.

Prise de notes

Ton cahier te sert à conserver des informations sur ce que tu étudies en classe. Tu peux aussi y inclure des notes de recherche ou de lecture. La prise de notes sert d'aide-mémoire. Tu peux utiliser tes notes pour te préparer aux tests ou planifier des projets. Les notes peuvent se présenter sous forme :

- de liste (sujets principaux et détails pertinents)
- de tableau ou de diagramme
- de diagramme en toile d'araignée (pour montrer le lien entre différentes idées)
- de dessins, de graphiques, de lignes du temps.

Organisation des notes

1. Indique la date en haut de chaque nouvel ensemble de notes.
2. Donne un titre au travail de chaque jour. Si tu as utilisé le manuel, indique le numéro de la page.
3. Souligne le titre et la date avec un crayon de couleur et une règle.
4. Prends des notes rapides, mais inclus tous les sujets importants et les principaux détails pertinents.

Notes sous forme de liste

1. Les notes sous forme de liste ne sont pas nécessairement des phrases complètes, mais des groupes de mots clés.
2. Relis le passage. L'idée principale te servira de titre.
3. Indique le sujet de chaque paragraphe. Ce sont les idées principales du passage.
4. Sous chaque sujet, indique les mots clés et les détails importants du paragraphe.
5. Tu peux aussi faire des dessins à côté de chaque sujet à titre d'aide-mémoire.
6. Souligne ou surligne les mots clés et les définitions.

Exemple

Ressources naturelles
(basses-terres de l'Arctique)

- ressources renouvelables
  - peu de ressources renouvelables
  - pas de terres agricoles ou de forêts
  - vie animale et vie marine
- ressources non renouvelables
  - zinc, plomb, pétrole, gaz naturel, charbon
  - <u>non renouvelable veut dire qui ne peut pas repousser ou se reproduire</u>
- minéraux et pétrole
  - mines de plomb et de zinc
  - exploration pétrolière
- autres produits
  - fourrures, poisson, sculptures en stéatite

Exploration pétrolière et gazière dans l'Arctique

Il y a des champs de pétrole et de gaz sur les continents et dans les océans du monde. Dans les basses-terres de l'Arctique, les activités d'exploration présentent de nombreux défis – la glace marine, les tempêtes, le froid, l'éloignement et la fragilité de l'environnement.

Il y a plusieurs types d'engins de forage en mer. Certaines plates-formes de forage flottent. D'autres sont construites sur de longs piliers ou des îles artificielles. Dans les grandes profondeurs, on utilise des navires de forage à la coque très solide.

Les puits d'exploration servent à localiser les gisements de gaz et de pétrole.

Dans le delta du Mackenzie, l'environnement est fragile. La chaleur des édifices, des machines et des activités humaines fait monter la température du sol. Quand le pergélisol commence à fondre, la terre se gorge d'eau. Le matériel et les constructions peuvent s'enfoncer dans le sol.

La plupart des activités d'exploration se déroulent loin des lieux peuplés. Les équipes restent sur les chantiers de forage pendant de longues périodes. Elles incluent des soudeurs, des mécaniciens, des électriciens, des ingénieurs et des spécialistes de forage, mais aussi des cuisiniers, des pompiers, des informaticiens et des pilotes d'hélicoptère. C'est comme s'ils travaillaient sur un navire en haute mer.

Les avions-cargos livrent tout ce qu'il faut pour vivre et travailler.

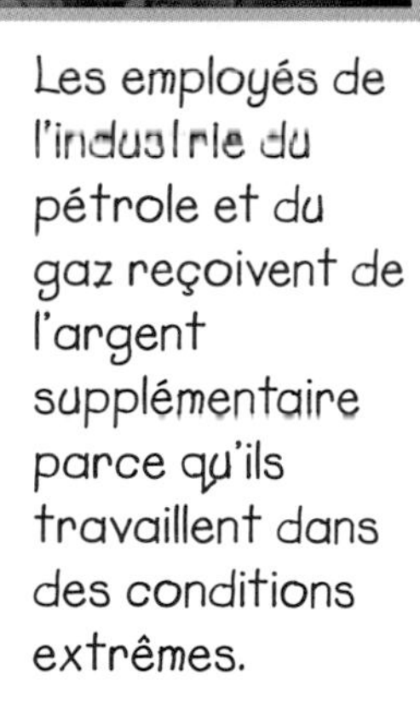

Les employés de l'industrie du pétrole et du gaz reçoivent de l'argent supplémentaire parce qu'ils travaillent dans des conditions extrêmes.

Les compagnies prennent beaucoup de précautions, mais un accident est toujours possible. Dans un climat extrême, les déversements de pétrole sont très difficiles à nettoyer. La population de l'Arctique espère que les sociétés pétrolières n'auront pas à appliquer leur plan de mesures d'urgence en cas de catastrophe.

Faire ◆ Discuter ◆ Découvrir

1. Sous forme de liste, prends des notes sur la page 47 dans ton cahier.
2. Étudie la liste des différentes formes de notes à la page 46. Au sujet de l'exploration pétrolière et gazière dans l'Arctique, quels types d'informations pourrais-tu prendre sous forme de toile d'araignée ou de tableau? Partage tes idées avec un-e autre élève, puis crée un diagramme ou un tableau que tu mettras dans ton cahier.

La préoccupation de Robert

Nous vivons à Tuktoyaktuk, ma famille et moi. Mon père travaille pour une compagnie de forage. Beaucoup de gens sont contents que la compagnie pétrolière soit installée ici, parce qu'elle a promis de construire de nouvelles routes, d'augmenter les activités commerciales et de moderniser l'aéroport.

Les gens d'ici tirent leur nourriture de l'environnement. À mesure que la communauté change et que la population augmente, les besoins se multiplient. Il faut importer toujours plus d'aliments et de produits; il faut plus d'énergie pour chauffer les édifices et alimenter les machines. La quantité de déchets augmente aussi. On ne peut pas les enterrer à cause du pergélisol. Ils sont dangereux pour les oiseaux et les autres animaux de la région.

En été, les véhicules créent des ornières profondes dans la toundra. Cette activité tue les plantes et dérange le pergélisol; elle provoque des effondrements de terrain.

Quand la couverture végétale est détruite dans cet environnement, il faut beaucoup de temps pour qu'elle se reconstitue. La pollution du sol ou de l'océan peut tuer beaucoup d'animaux, d'oiseaux et de poissons. Certaines espèces telles que le bœuf musqué existent seulement dans l'Arctique. Quand leur habitat est modifié, elles risquent de disparaître.

J'ai peur que les changements survenus dans ma communauté provoquent des dégâts permanents dans l'environnement. Il faut absolument réfléchir et prendre des mesures de prévention.

Faire ◆ Discuter ◆ Découvrir

1. Explique pourquoi les plantes poussent si lentement dans cette région. Revois les rubriques Traits physiques, Climat et Végétation du chapitre.
2. Quelles sont les trois choses que tu aimerais raconter à des visiteurs sur les basses-terres de l'Arctique pour contribuer à protéger l'environnement?

Chapitre 4

Compréhension des concepts

1. Dessine un tableau comme celui de la page 37 du chapitre 3. Écris le titre : « Les basses-terres de l'Arctique ». Utilise les informations de ce chapitre et de tes notes pour remplir toutes les parties du tableau. Classe-le dans ton cahier.
2. Relève les termes de ce chapitre que tu ajouteras dans la partie Vocabulaire de ton cahier. Fais des diagrammes ou des petits dessins qui t'aideront à retenir les mots et leurs définitions.
3. Rédige un paragraphe pour expliquer comment les animaux se sont adaptés au climat des basses-terres de l'Arctique.

Habiletés de recherche et de communication

4. Fais une recherche sur le bœuf musqué. Suis le modèle de recherche de la page 14. Choisis une forme particulière pour prendre des notes sur cet animal. (Tu pourras classer ces notes dans ton album ou ta boîte à chaussures.)

Habiletés de lecture et de création des cartes/globes

5. Sur une carte-croquis du globe, dessine et indique le cercle polaire (63,5 degrés de latitude N). Crée tes propres symboles pour montrer les heures d'ensoleillement durant les quatre saisons à hauteur du cercle polaire.

Application des concepts et habiletés à d'autres contextes

6. En deux paragraphes, décris comment ton emploi du temps pourrait changer s'il y avait des journées de 23 heures dans la région où tu habites.

Lien avec Internet

7. Va voir le site www.wwfcanada.org – en anglais et en français. Clique sur la rubrique *Critter of the Month* (la créature du mois). Prends des notes sous forme de liste.

Projet sur le Canada

1. Reprenez la carte-croquis du Canada que vous avez utilisée à la fin du chapitre 2. Coloriez la région des basses-terres de l'Arctique. Indiquez les provinces et territoires situés dans cette région. Ajoutez les informations importantes. (Consultez les cartes de la page 38, du début et de la fin du manuel.)
2. Créez une sculpture ou trouvez une petite figurine d'un animal qui vit dans votre province ou territoire. Vous la mettrez dans votre boîte à chaussures.
3. Faites une recherche sur une légende, un poème ou une chanson de votre province/territoire pour votre album ou boîte à chaussures. Ajoutez vos propres illustrations pour la rendre intéressante et amusante.

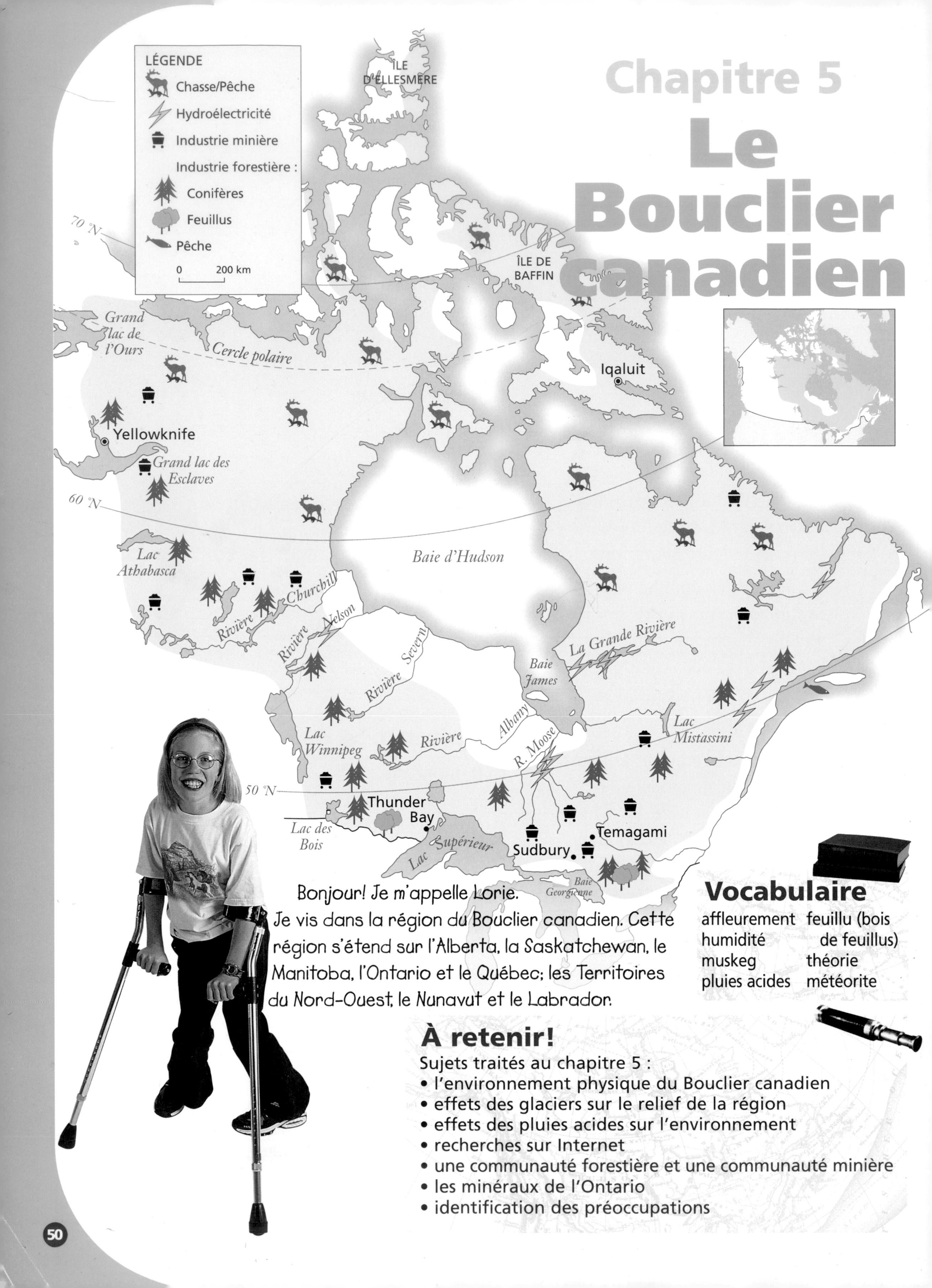

Chapitre 5
Le Bouclier canadien

Bonjour! Je m'appelle Lorie.
Je vis dans la région du Bouclier canadien. Cette région s'étend sur l'Alberta, la Saskatchewan, le Manitoba, l'Ontario et le Québec; les Territoires du Nord-Ouest, le Nunavut et le Labrador.

Vocabulaire

affleurement
humidité
muskeg
pluies acides
feuillu (bois de feuillus)
théorie
météorite

À retenir!

Sujets traités au chapitre 5 :

- l'environnement physique du Bouclier canadien
- effets des glaciers sur le relief de la région
- effets des pluies acides sur l'environnement
- recherches sur Internet
- une communauté forestière et une communauté minière
- les minéraux de l'Ontario
- identification des préoccupations

Traits physiques

Le Bouclier canadien couvre près de la moitié du Canada. Cette vaste région se distingue par son relief : des collines rocheuses et des milliers de lacs, de cours d'eau et de marécages. En général, le sol qui recouvre la roche de fond est mince. Les **affleurements** rocheux sont nombreux.

À l'époque glaciaire, toute la région était couverte de glaces. En se déplaçant, les glaciers ont raboté la surface des collines rocheuses. À de nombreux endroits, les pierres qu'ils véhiculaient ont profondément griffé la roche.

Les glaciers ont poussé et entraîné des débris de roche et de sol sur de longues distances.

Ce tableau, « Première neige sur la côte nord du lac Supérieur », est l'œuvre de Lawren S. Harris.

Quand le climat s'est réchauffé et quand les glaciers ont fondu, ces débris se sont déposés. Ils ont formé des collines et des dépôts de cailloux ou de gravier.

De nombreux cours d'eau du Bouclier coulent en direction de la baie d'Hudson. D'autres alimentent les Grands Lacs et le système fluvial du Saint-Laurent, qui se jette dans l'Atlantique.

Les affleurements rocheux, les lacs et les conifères sont typiques du Bouclier canadien.

Faire ◆ Discuter ◆ Découvrir

1. Avec un-e partenaire, examine attentivement le tableau ci-dessus.
   a) Que voyez-vous au premier plan, au deuxième plan et à l'arrière-plan?
   b) Quel est l'élément le plus important du tableau, à votre avis?
   c) Les rochers ont été griffés par des éléments naturels. Lesquels, à votre avis?
   d) Quelle saison associez-vous à ces couleurs?
   e) Quel message ce tableau exprime-t-il sur la région du Bouclier?
2. Imite le style de ce tableau. Peins une scène qui représentera ton quartier ou ta localité durant la même saison. Range-la dans ton cahier.

Simulation d'un glacier

Matériaux nécessaires :

- moule à gâteau (20 x 30 x 10 cm)
- plateau ou caisse à sable recouverte d'une couche de sable de 1 cm d'épaisseur
- poignée de cailloux très froids
- eau

1. Verse 5 cm d'eau dans un moule à gâteau et mets-le au congélateur. Place aussi les cailloux au congélateur.
2. Retire la couche de glace du moule. Place les cailloux sur la couche de sable que tu as versée dans le plateau. Place la couche de glace au-dessus. Appuie bien sur la glace, les cailloux et le sable. Puis, n'y touche plus. Après un certain temps, tu pourras constater que le sable et les cailloux restent collés à la couche de glace – que le fond est devenu irrégulier et sablonneux.
3. Fais glisser la couche de glace lentement sur le sable. Que se passe-t-il? Un tas de sable se forme à l'avant; la couche de glace creuse une tranchée derrière elle; les cailloux griffent la surface du sable. Pousse la couche de glace d'un bout à l'autre du plateau.
4. Laisse fondre la couche de glace sur le sable. (Lis la suite du chapitre.)
5. Toutes les demi-heures, observe ce qui se passe. Peu à peu, les matériaux poussés par la couche de glace se déposent. Ils indiquent l'endroit atteint par le glacier en mouvement. Les cailloux qui étaient prisonniers de la glace se sont déposés en chemin.
6. Relève tes observations par écrit et à l'aide d'un diagramme. Mets-les dans ton cahier.

Climat

Dans le Bouclier canadien, les hivers sont froids. Les chutes de neige deviennent rares au nord et abondantes au sud.

Journée d'hiver au nord du Bouclier canadien

Début de l'hiver sur la rive du lac Supérieur

Dans le Grand Nord, les étés ressemblent à ceux des basses-terres de l'Arctique. Ils sont courts, mais les journées sont très longues. Au sud, l'été est plus chaud et plus humide. (L'**humidité** est la vapeur d'eau que contient l'air.) Les précipitations annuelles peuvent atteindre 1600 mm. La plupart tombent sous forme de neige, mais les pluies sont fréquentes aussi en été.

Végétation

La toundra caractérise le Nord du Bouclier. On y trouve des plantes basses, des mousses et de petits arbustes. Il y a aussi des zones de roche nue. Plus au sud, la végétation se limite à quelques conifères et arbustes dispersés. Aux endroits où le sol est plus abondant, on trouve des forêts de conifères.

Entre les collines rocheuses, il y a des sols marécageux appelés **muskeg**. Le muskeg est un terrain formé de végétation et de débris qui remplissent graduellement les lacs.

Le muskeg et ses conifères

Plus au sud, on trouve des forêts mixtes, composées d'arbres feuillus et de conifères.

En automne, les feuilles jaunissent et rougissent avant de tomber; les aiguilles des conifères restent vert foncé.

Beaucoup d'arbres sont détruits par les **pluies acides**. Ce phénomène se produit quand la pollution de l'air se mélange à la pluie. Il est dangereux pour l'environnement. Par exemple, l'érable à sucre est une des ressources importantes de la région. Les pluies acides sont en train de tuer les érables adultes. Ils ne pourront repousser que si on parvient à éliminer les pluies acides. Mais il faut de longues années pour produire des arbres adultes.

Les pluies acides

Les usines et les automobiles produisent des fumées qui contiennent des substances chimiques dangereuses. Il y a d'autres sources de pollution : les fonderies qui traitent le minerai de nickel et les centrales électriques alimentées au charbon, par exemple.

Certains polluants tombent sous forme de poussières sèches. Ils peuvent endommager tout ce qui se trouve à la surface de la Terre : le sol, l'eau, la végétation.

L'air contient des substances chimiques qui se dissolvent et forment des acides au contact de l'humidité (des nuages). En traversant l'air chargé de polluants, les gouttes de pluie et les flocons de neige forment aussi des acides.

Les pluies acides contiennent des produits chimiques assez puissants pour attaquer les pierres des monuments et les briques des édifices!

Beaucoup d'industries essaient de réduire la quantité de polluants qu'elles rejettent dans l'air. Les moteurs à essence sont de plus en plus efficaces. Nous pouvons faire notre part, nous aussi, en limitant notre consommation de chaleur et d'électricité; et en évitant d'utiliser l'automobile.

Vie animale

Le Bouclier canadien abrite beaucoup d'espèces animales : le caribou des forêts, le loup et le renard, par exemple. Les forêts sont l'habitat de l'orignal et du cerf (ou chevreuil).

L'ours noir, le castor, la martre ou marte d'Amérique, le vison, le renard, le lynx et le rat musqué sont quelques-uns des nombreux animaux à fourrure de la région. Leur fourrure épaisse et chaude est une adaptation qui les protège du froid de l'hiver.

Les lacs et les cours d'eau sont riches en poissons. La truite grise ou le touladi, l'achigan, la perche, le brochet, le cisco ou corégone sont les espèces courantes de poissons d'eau douce. Ils peuvent atteindre une taille importante parce que la pêche commerciale est rare. La pêche sauvage (avec transport par hydravion) est un sport qui tire parti de la qualité de l'environnement et de l'abondance de poissons.

Recherche sur Internet

Le Net est un outil de recherche puissant. Tu peux explorer Internet à l'école avec l'aide de ton enseignant-e ou à la maison avec tes parents. Au départ, tu dois apprendre à utiliser un moteur de recherche.

1. Branche-toi sur Internet.
2. Trouve un moteur de recherche. Les plus communs sont Google, Hotbot, Yahoo, Altavista, Lycos. En général, il y a un bouton appelé [Search] ou [Recherche] sur la barre de menus Internet.
3. Tu devras définir tes critères de recherche. Tape un mot clé pour lancer le moteur de recherche. Par exemple : Ontario, Canada.
4. Cette recherche permet d'obtenir un grand nombre d'entrées ou de résultats. Il faut donc limiter la recherche.
5. Choisis un mot clé plus précis. Par exemple, tape le nom d'un lieu en Ontario – celui d'une ville ou d'un village.
6. Ces critères devraient produire un nombre limité de résultats.
7. Lis-les pour essayer de trouver ce que tu cherches. Relève l'adresse du site. Si elle se termine par .ca, il s'agit d'une adresse canadienne. Si elle se termine par .on.ca, c'est une adresse ontarienne.
8. N'oublie pas d'indiquer tes sources (où tu as trouvé tes informations sur Internet). Relève l'adresse Web dans tes notes et précise la date de ta consultation.

Ressources naturelles

Le Bouclier canadien est riche en ressources naturelles. Les forêts produisent du bois de résineux et de **feuillus**. Les arbres résineux servent à faire des pâtes et papiers et du bois de construction. Les feuillus servent à fabriquer des meubles, des armoires et des panneaux muraux. L'érable, le chêne, le bouleau et le noyer sont des bois d'excellente qualité.

De nombreux cours d'eau servent à produire de l'électricité. Une partie de l'énergie hydroélectrique est vendue à l'extérieur de la région.

Sur la rivière Winnipeg, l'usine hydroélectrique des chutes Seven Sisters produit de l'électricité pour la région des Plaines intérieures.

Dans les scieries, les arbres sont transformés en matériaux de construction.

L'exploitation des mines est une des industries importantes de la région. Le cuivre, le fer, le plomb, le nickel, l'or, l'argent, l'uranium et le zinc font partie des ressources minérales du Bouclier canadien. En 1991, une compagnie minière a découvert des diamants à l'est du Grand lac de l'Ours, dans les Territoires du Nord-Ouest.

Il y a deux types de mines : les mines souterraines et les mines à ciel ouvert, comme celle-ci.

Les mineurs doivent être forts et accepter de travailler sous terre, dans des conditions difficiles.

Faire ◆ Discuter ◆ Découvrir

1. Suis les consignes de la page précédente pour faire une recherche dans Internet et trouver des informations sur une ressource du Bouclier canadien qui se trouve en Ontario. Quels mots clés utiliseras-tu? Comment limiteras-tu ta recherche si tu n'obtiens pas d'informations utiles la première fois?

Temagami – une communauté forestière

Temagami est une localité de moins de 1000 habitants située à 100 km au nord de North Bay. Temagami est un mot ojibway qui signifie « eau profonde près du rivage ». La ville est entourée de forêts de pins et d'eaux claires. Elle est riche en poissons et en espèces sauvages.

Depuis plus d'un siècle, Temagami est un centre touristique réputé pour ses activités de plein air. On y a construit des chalets, des pavillons de pêche et de chasse, et des hôtels. Dans les limites de la ville, on trouve aussi un tiers de la dernière forêt vierge du monde qui abrite plusieurs vieux peuplements de pins blancs et rouges. Un réseau de sentiers de 25 km traverse cette forêt ancienne.

Temagami est située au milieu des lacs et des forêts du Bouclier canadien.

Les sentiers et les trottoirs de planches permettent aux visiteurs de se promener à travers les terres humides.

Dans les années 1920 et 1930, l'industrie forestière s'est établie dans la région de Temagami. Les touristes peuvent visiter des sites intéressants pour en savoir plus sur les débuts de cette activité – des chantiers, des scieries, des glissoires ou couloirs à grumes, et des tours de guet contre les incendies forestiers.

Une tour de guet ancienne domine Temagami. Du haut de cette tour, des gardes forestiers surveillaient la région. Ils signalaient les feux et guidaient les équipes de pompiers, au besoin. Aujourd'hui, la tour est un site touristique.

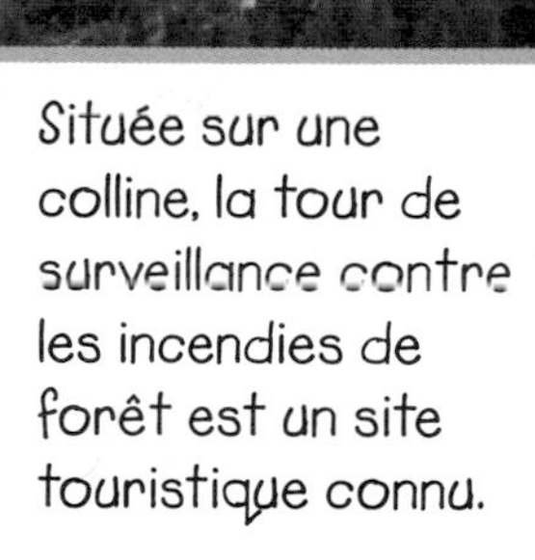

Située sur une colline, la tour de surveillance contre les incendies de forêt est un site touristique connu.

Visitons Temagami

1. a) Pour en savoir plus sur Temagami (Ontario), fais une recherche sur Internet.
   b) Tu peux faire la visite virtuelle de la tour de guet à partir du site de Temagami (www.twp.temagami.on.ca) – en anglais seulement.

Faire ◆Discuter ◆Découvrir

1. Mets-toi à la place d'un garde forestier. Écris une lettre à ta famille, à un ami ou une amie pour décrire ton métier.

Les minéraux de l'Ontario

Le Bouclier canadien occupe les deux-tiers de l'Ontario. Dès le début du XIXe siècle, les mines ont joué un rôle majeur dans l'économie de la province. La première ruée vers l'or a eu lieu près de Madoc (Ontario) en 1866.

Aujourd'hui, l'Ontario est un des 10 premiers producteurs de minéraux du monde. Il fournit plus de 30 minéraux différents; 80 p. 100 de cette production est vendue dans le monde entier.

Le nickel, l'or, le cuivre, l'uranium, le zinc, le platine, le cobalt et l'argent sont exploités en Ontario. De nombreuses villes du Nord de l'Ontario ont été créées pour soutenir les activités minières.

L'améthyste est la pierre officielle de l'Ontario. Ce morceau vient de la région de Thunder Bay.

Théorie au sujet de certains minéraux

Les scientifiques proposent des théories pour expliquer l'abondance des ressources minérales dans la région. Une **théorie** est une idée ou un ensemble d'idées fondé sur des observations et qui servent à expliquer quelque chose en l'absence de preuves.

Une des théories suggère que les minéraux sont venus de **météorites**. Les météorites sont des pierres tombées de l'espace et qui traversent l'atmosphère. Certains spécialistes pensent que les météorites contenaient peut-être les minéraux que nous exploitons aujourd'hui. En s'écrasant au sol, les météorites auraient formé d'immenses cuvettes – ou cuvettes météoriques – semblables aux cratères situés à la surface de la Lune. Les minéraux auraient fondu sous l'impact du choc; puis, ils se seraient refroidis.

Faire ◆ Discuter ◆ Découvrir

Associe-toi à un-e partenaire. Choisissez une des deux activités suivantes :

1. a) Situez et indiquez ces villes minières sur une carte de l'Ontario : Red Lake, Hemlo, Wawa, Elliot Lake, Timmins, Manitouwadge, Sudbury et Kirkland Lake.
   b) Faites une recherche sur les minéraux exploités près de ces localités.
   c) Choisissez les symboles que vous pourriez utiliser pour représenter ces minéraux.
   d) Créez une légende pour expliquer les symboles que vous avez choisis. Dessinez-les à côté des localités que vous avez indiquées sur votre carte.
2. a) Faites une recherche sur deux théories qui expliquent pourquoi la région de Sudbury est riche en minéraux. Si vous utilisez Internet, lancez votre recherche à l'aide des mots clés suivants :
   météorite, bassin de Sudbury
   magma, bassin de Sudbury.
   b) Quelle est la théorie la plus intéressante, à votre avis? Expliquez votre réponse en un paragraphe que vous recopierez dans votre cahier.

Les métallurgistes – les travailleurs de l'industrie du fer et de l'acier – portent des vêtements spéciaux pour se protéger des températures extrêmes.

Sudbury – une communauté minière

Sudbury se trouve dans un immense bassin ovale de 60 km sur 27 km, creusé dans la partie rocheuse du Bouclier canadien. Ce bassin contient un des plus riches gisements de nickel et de cuivre du monde. L'exploitation minière est un secteur qui rapporte 3 milliards de dollars à la ville chaque année.

Cette grosse pièce de cinq sous [The Big Nickel] mesure 9 mètres de haut et 61 centimètres d'épaisseur.

L'exploitation des mines et le traitement des minéraux ont créé de nombreux emplois. Sudbury est un centre important pour l'administration, les affaires, l'éducation, les soins de santé et les services en général.

Sudbury est la plus grosse ville du Nord-Est de l'Ontario.

Sources de richesse, les industries ont également créé des problèmes pour la région. Les sols ont été pollués et la couche arable a été détruite. Des affleurements de roche nue noircis et une végétation clairsemée entouraient Sudbury. Pour beaucoup de gens, l'environnement rappelait la surface de la Lune!

La population de Sudbury a collaboré avec l'industrie minière pour redonner vie à la région. Au cours des deux dernières décennies, plus de 5 millions d'arbres ont été plantés. Aujourd'hui, les niveaux de pollution de Sudbury sont inférieurs à ceux de Toronto ou Hamilton. Récemment, les Nations Unies ont reconnu le programme de restauration de l'environnement entrepris dans la région de Sudbury.

La mine Big Nickel organise des visites guidées.

Visitons Sudbury

1. Si tu as l'occasion d'aller à Sudbury, rends-toi à la mine Big Nickel – à 20 mètres sous terre – pour essayer d'éprouver les sensations d'un mineur. Tu pourras découvrir différentes méthodes d'exploitation minière. Tu pourras voir un poste de secours, du matériel d'exploitation des mines, un jardin souterrain et l'unique boîte à lettres souterraine du Canada!

Faire ◆ Discuter ◆ Découvrir

1. Écris une carte postale imaginaire de Sudbury. Tu la posteras dans l'unique boîte à lettres souterraine du Canada. Dessine ton propre portrait au recto et écris ton message au verso.

La préoccupation de Lorie

Mon père collabore avec l'Office de protection de la nature de la région. Il dit que la ville de Sudbury s'est beaucoup améliorée.

Pendant longtemps, les gens ont négligé l'environnement. Puis, ils ont commencé à remarquer que les plantes étaient de plus en plus rares et que les poissons avaient disparu du lac. La ville était laide. Les arbres étaient morts. La végétation avait l'air malade.

Mon père et d'autres habitants ont tenu à attirer l'attention des compagnies minières sur l'environnement. Bientôt, elles ont construit des hautes cheminées pour évacuer les fumées plus efficacement. On a fait des efforts pour nettoyer l'eau et le sol. Les gens ont collaboré pour replanter de l'herbe, des buissons et des arbres.

Aujourd'hui, nous sommes fiers de notre ville. Nous ne voulons pas que les erreurs du passé se reproduisent. N'oublions pas de protéger l'environnement!

AUTREFOIS

AUJOURD'HUI

Faire ◆ Discuter ◆ Découvrir

1. Examine les photos ce cette page. Décris les différences entre autrefois et aujourd'hui.
2. Les photos ci-dessus démontrent ce que les gens peuvent faire pour améliorer l'environnement. Parle des idées ou des réflexions qu'elles t'inspirent.

Chapitre 5

Compréhension des concepts

1. Dessine un tableau d'organisation régional comme celui de la page 49 du chapitre 4. Écris le titre : « Le Bouclier canadien ». Utilise les informations de ce chapitre et de tes notes pour remplir toutes les parties du tableau. Classe-le dans ton cahier.
2. Relève les termes de ce chapitre que tu ajouteras dans la partie Vocabulaire de ton cahier. Fais des diagrammes ou des petits dessins qui t'aideront à retenir les mots et leurs définitions.
3. En tes propres mots, explique la formation des pluies acides. Ajoute des photos ou des dessins pour illustrer ton explication.

Habiletés de recherche et de communication

4. Fais une recherche expliquant les effets des pluies acides sur le cycle de l'eau. Suis le modèle de recherche de la page 14. Dans ton cahier, dessine un diagramme illustrant le cycle de l'eau. En tes propres mots, décris les conséquences des pluies acides.

Habiletés de lecture et de création des cartes/globes

5. Sur une carte-croquis du Bouclier canadien, indique les différentes forêts de cette région. N'oublie pas d'inclure tous les éléments importants d'une carte.

Application des concepts et habiletés à d'autres contextes

6. En fin de semaine, va faire une promenade à pied avec ta famille dans un parc local ou une zone de conservation. Trouve une roche intéressante. Identifie-la. Donne-lui un nom et raconte son origine. Dessine un décor idéal pour présenter cette roche.

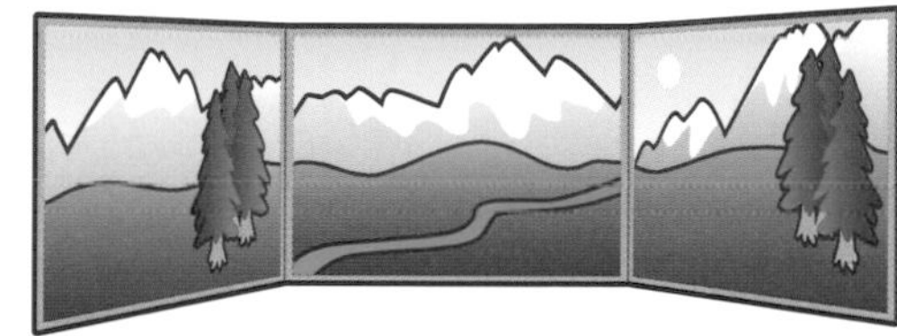

Lien avec Internet

7. Va voir le site de Ressources naturelles Canada **www.nrcan.gc.ca/communications/nrcat-rnchat/**. Clique sur *Élèves*, puis sur *Nos trésors à découvrir*. Lis chacune des sections et crée une liste de produits d'emplois que l'industrie minière fournit à la population canadienne.

Projet sur le Canada

1. Reprenez la carte-croquis du Canada que vous avez utilisée à la fin du chapitre 2. Coloriez la région du Bouclier canadien. Indiquez les provinces et territoires situés dans cette région. Ajoutez les informations importantes. (Consultez les cartes de la page 50, du début et de la fin du manuel, au besoin.)
2. Créez une collection ou un collage de minéraux qui se trouvent dans votre province ou territoire. Étiquetez chaque minéral. Essayez de trouver de vrais échantillons. Placez ce projet dans votre album ou boîte à chaussures.

Chapitre 6

Les basses-terres de la baie d'Hudson

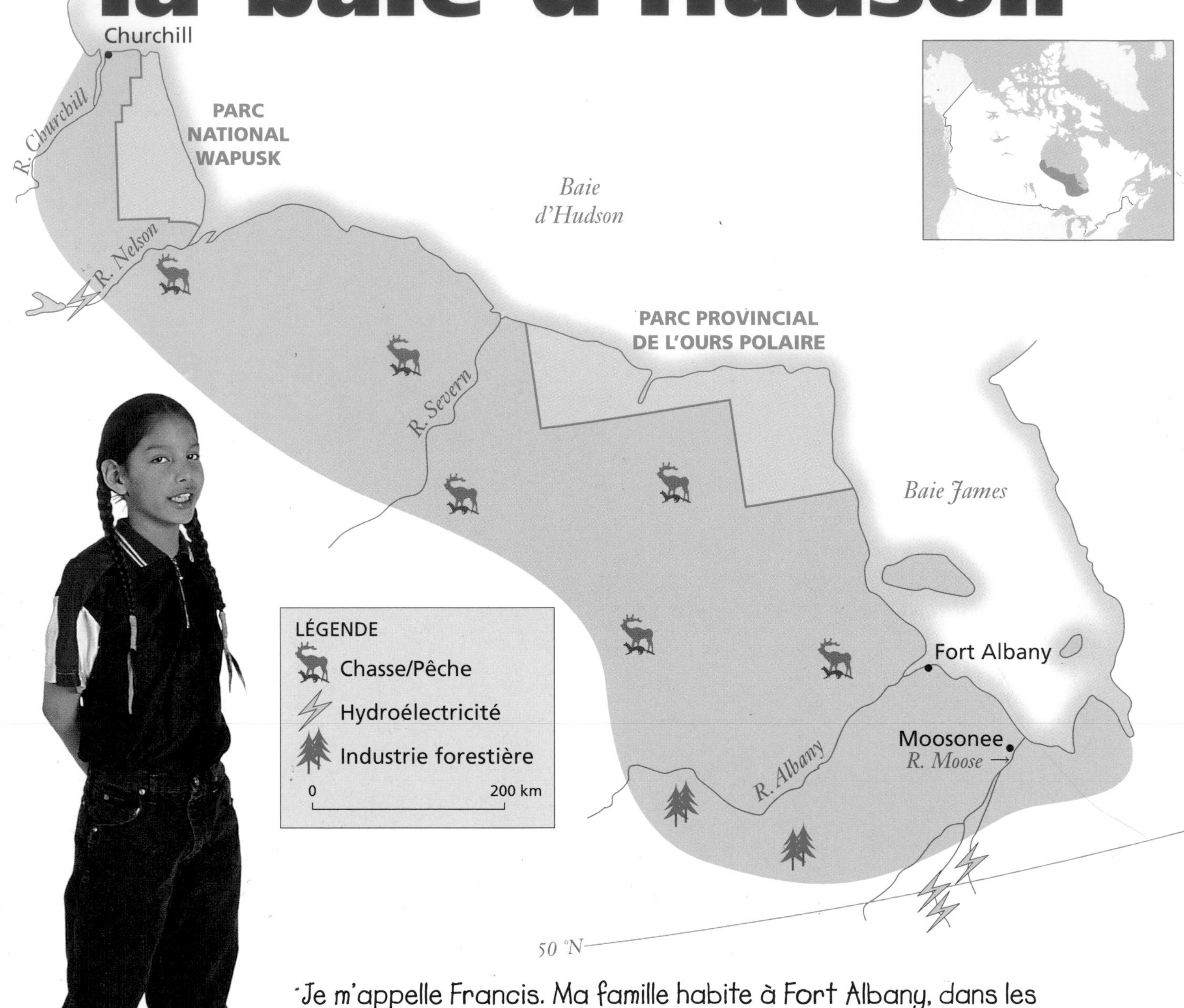

Je m'appelle Francis. Ma famille habite à Fort Albany, dans les basses-terres de la baie d'Hudson. Cette région s'étend sous la baie d'Hudson et la baie James. Elle inclut certaines parties du Manitoba, le Nord de l'Ontario et du Québec.

Vocabulaire

tourbe
reproduction (se reproduire)
écotourisme
conservation

À retenir

Sujets traités au chapitre 6 :
- l'environnement physique des basses-terres de la baie d'Hudson
- une communauté de chasse et de pêche
- identification des préoccupations

Traits physiques

Cette région est une vaste plaine bordée par un long littoral. C'est une des zones les plus plates du Canada. Il y a très longtemps, elle faisait partie de la baie d'Hudson. Quand les énormes glaciers de la dernière glaciation se sont retirés, le niveau des terres s'est élevé. Ces terres plates ont été exposées et ont commencé à sécher. Cependant, elles sont trop près du niveau de la mer pour que l'eau s'écoule totalement. C'est pourquoi le sol reste marécageux.

De nombreux cours d'eau traversent les basses-terres et se jettent dans la baie d'Hudson et la baie James. Quand la neige fond dans la région du Bouclier canadien et des Plaines intérieures, cette zone peu élevée est inondée. Les terres humides sont des endroits marécageux ou qui restent partiellement inondés toute l'année.

D'une superficie de 320 000 km², les basses-terres de la baie d'Hudson forment la plus grande région marécageuse du monde.

La baie d'Hudson et la baie James sont les plus grandes masses d'eau du monde qui gèlent en hiver et qui sont libres de glace en été.

Dans la majeure partie de la région, le sol est gelé en permanence. En été, la couche superficielle fond et la végétation pousse, mais le sous-sol ne dégèle pas. Le pergélisol est un autre facteur qui gêne l'écoulement de l'eau.

La glace fond près des côtes, mais il reste toujours de la glace marine dans les eaux de la baie d'Hudson.

Les basses-terres de la baie d'Hudson ont un relief plat. Ces roches ont été abandonnées au cours de la fonte d'un glacier.

Exercice pratique

Fais cette simple expérience pour voir comment les basses-terres de la baie d'Hudson se sont formées après la fonte des glaciers.

Tu auras besoin de ce qui suit :

- un grand moule à gâteau rectangulaire
- une planche plus petite que le moule à gâteau
- deux petites pierres (d'environ 2 cm)
- de l'eau
- un poids (une pierre ou un morceau de glace de 500 g, par exemple).

1. Remplis le moule d'eau jusqu'à mi-hauteur. Place les petites pierres au fond du moule, contre un des côtés. Glisse la planche dans l'eau, en laissant flotter une des extrémités au-dessus des pierres. Pose le poids sur l'autre extrémité. Tu constateras qu'elle s'enfonce vers le fond du moule et que l'eau recouvre une partie de la planche.
2. Peu à peu, fais glisser le poids vers l'extrémité placée au-dessus des pierres. Remarque ce qui arrive à la planche. Relève tes observations dans ton cahier. Partage-les avec deux autres élèves.

Climat

Dans la région des basses-terres de la baie d'Hudson, les hivers sont longs et froids; les étés sont courts et chauds.

Les précipitations sont modérées. Elles tombent surtout sous forme de neige en hiver. Le climat est semblable à celui qui règne dans tout le nord du Bouclier canadien.

Les hivers sont longs et froids dans cette région.

La végétation de la toundra fleurit au cours du bref été.

Dans la partie Sud-Ouest de la région, on trouve des conifères et des muskegs – une végétation qui ressemble à celle du Bouclier canadien.

Végétation

Le littoral de la baie d'Hudson et de la baie James est bordé de long marécages. Différents types de roseau et d'herbe y poussent.

Les roseaux et autres plantes des terres humides poussent près de la côte.

Le nord de la région ressemble surtout à la toundra. Au sud de la limite des arbres, on trouve des conifères dispersés et quelques feuillus. Des forêts épaisses poussent dans le Sud-Ouest – des épinettes blanches, des sapins et peupliers baumiers, des bouleaux à papier.

L'épinette noire et le mélèze laricin sont des espèces caractéristiques des muskegs. Les muskegs ou terres humides composent jusqu'à 85 p. 100 de la région. Ces zones marécageuses sont remplies de **tourbe** – une épaisse couche de déchets végétaux décomposés et saturés d'eau. Parce qu'elle ne contient pas de sable ou d'autres minéraux, la tourbe n'est pas un sol.

Faire ◆ Discuter ◆ Découvrir

1. a) Examine la carte qui se trouve au tout début du manuel. Estime la latitude de la partie la plus au nord et la plus au sud de la région.
   b) Décris comment ces différences de latitude déterminent probablement le climat et la végétation de la région.

Vie animale

Toutes sortes de poissons, d'oiseaux et d'autres animaux vivent et **se reproduisent** dans les basses-terres de la baie d'Hudson. Les oiseaux y pondent et y couvent des œufs. De nombreuses espèces donnent naissance à leurs petits et les élèvent dans les terres humides et les forêts.

D'immenses troupeaux d'oies des neiges et de bernaches du Canada nichent le long de la côte. On y trouve aussi des bernaches cravants, des canards de toutes sortes, des eiders, des arles, des huards, des phalaropes à bec étroit et beaucoup d'autres types d'oiseaux de rivage.

En été, le caribou vit près des côtes. En hiver, les troupeaux repartent vers les forêts de l'intérieur.

D'immenses troupeaux de bernaches passent l'été dans les terres humides.

En hiver, le renard arctique porte une épaisse fourrure blanche qui devient grise en été.

Il y a de nombreuses espèces de mammifères arctiques : le renard arctique, le lemming, la belette à queue courte et le lièvre arctique. La région abrite aussi une importante population de phoques et de morses.

L'ours polaire ou ours blanc passe la plus grande partie de l'hiver dans la mer. Le phoque est sa nourriture principale. Au printemps, il vit sur terre. Il creuse une tanière d'été pour se tenir au frais. Au début de l'hiver, en attendant que la glace se forme sur l'océan, la femelle prépare une tanière pour attendre ses petits et les élever. L'ours polaire peut se passer de manger pendant quatre à sept mois.

Le Parc provincial de l'Ours polaire, situé le long de la baie d'Hudson, au nord de l'Ontario, et le parc national Wapusk au Manitoba sont tous deux des réserves protégées où l'ours polaire peut vivre et se reproduire.

Le réchauffement de la planète crée une situation dangereuse pour les ours. Parfois, la glace marine se forme loin des côtes. L'ours peut se trouver coupé de sa principale source de nourriture : le phoque. Si les hivers restent doux, certains ours pourraient mourir de faim.

Faire ◆ Discuter ◆ Découvrir

1. Rédige un court paragraphe expliquant pourquoi les sites de reproduction sont importants pour les oiseaux migratoires.
2. a) Pourquoi a-t-on créé des parcs nationaux et provinciaux? Quel est le parc national ou provincial le plus proche de chez toi?
   b) À ton avis, pourquoi le Parc provincial de l'Ours polaire est-il un lieu protégé?

Ressources naturelles

Il n'y a pas encore d'industrie minière dans les basses-terres de la baie d'Hudson, mais on pourrait y découvrir du pétrole et du gaz. Le sous-sol de la baie d'Hudson est formé de couches rocheuses qui sont souvent associées aux gisements de pétrole et de gaz.

Il y a plusieurs barrages hydroélectriques sur les cours d'eau qui se jettent dans la baie d'Hudson et la baie James. Deux projets importants ont été construits sur le fleuve Nelson (Manitoba) et la rivière Moose (Ontario).

Situé sur le fleuve Nelson, ce projet hydroélectrique utilise la force de l'eau pour produire de l'électricité.

Les sols de la région ne conviennent pas à l'agriculture. La plupart des gens se nourrissent en partie grâce à la pêche et la chasse. La plupart des autres produits sont livrés par avion ou par bateau. La chasse, la pêche et le trappage des animaux à fourrure font partie du mode de vie des gens de la région.

Le téléobjectif permet de photographier des oiseaux et des animaux éloignés.

Certains endroits sont réputés pour la chasse et la pêche sportives. L'**écotourisme** est de plus en plus populaire. Les écotouristes sont des visiteurs qui s'intéressent à la Nature et qui viennent observer la vie animale, la végétation et les formes de relief de la région.

Cette tour d'observation permet de surveiller l'immense surface de la toundra. Ces caribous ne font pas attention aux observateurs.

Des guides autochtones accompagnent la plupart des visiteurs. Ce sont eux qui connaissent le mieux la région. Ils font respecter les règles de **conservation**. La conservation est l'ensemble des mesures prises pour assurer la préservation ou le respect de l'environnement.

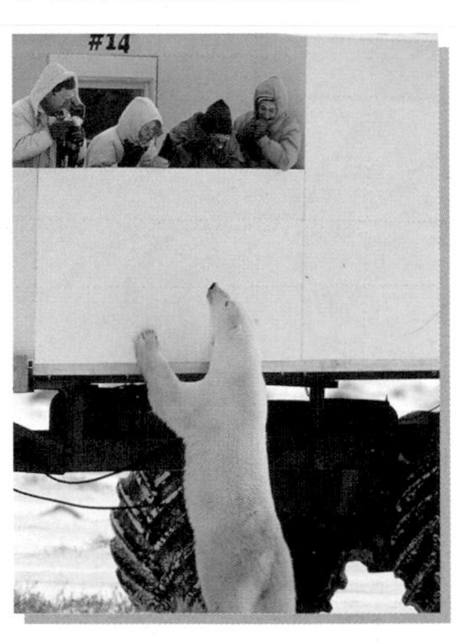

À l'abri dans un véhicule tout terrain, ces visiteurs observent des ours polaires.

Faire ◆ Discuter ◆ Découvrir

1. Par petits groupes de discussion, essayez de deviner où va l'électricité produite par les grands projets hydroélectriques.
2. Quelles sont les caractéristiques qui pourraient attirer les écotouristes dans la région où tu vis?
3. Explique pourquoi les produits sont livrés par avion ou par bateau.

Fort Albany – une communauté de chasse et de pêche

Fort Albany est une communauté autochtone située au bord de la baie James, à l'embouchure de la rivière Albany. Elle compte près de 850 habitants, qui vivent principalement de la chasse et de la pêche.

L'avion est la meilleure façon de se rendre à Fort Albany.

Une route praticable l'hiver relie la communauté à Moosonee, qui se trouve à 128 km au sud-est. Cette route est ouverte à partir de janvier et jusqu'au début de mai. Tous les jours, un avion assure le transport des passagers, du courrier et des marchandises.

Deux fois par été, un service de barges apporte des marchandises du sud.

En été, les habitants de Fort Albany utilisent les bateaux et les canots à moteur pour les activités de chasse, de pêche et de trappage. La motoneige est le moyen de transport le plus courant en hiver.

Les espèces sauvages sont nombreuses dans la région – l'oie, le canard, l'orignal, le caribou, l'ours, le castor, la gélinotte (le tétras), la perdrix, le renard et d'autres petits animaux. Les lacs et les cours d'eau abritent le cisco, la truite et le grand brochet, entre autres. C'est une magnifique région du Canada pour les gens qui aiment la pêche!

On construit une nouvelle école.

Beaucoup de gens sont bilingues à Fort Albany : ils connaissent le cri et l'anglais. Le cri est enseigné à l'école et les élèves apprennent aussi les méthodes artisanales de leurs ancêtres. Au printemps, ils ont un congé de deux semaines qui leur permet d'assister à la chasse aux oies. Ce congé se termine par un grand repas familial : la fête de l'oie *[niska]*.

Visite Fort Albany

1. Imagine que tu te rends à Fort Albany sur un bateau ou une barge qui vient livrer des produits en été. Décris ce que tu aperçois sur les rives, tandis que la barge remonte lentement vers la côte de la baie James.

La préoccupation de Francis

Mon père travaille pour le ministère de l'Environnement. Il essaie d'assurer que la population et les visiteurs de la région respectent la Nature. Il tient à préserver la qualité de l'environnement. Il faut que les animaux et les gens continuent à vivre ici ensemble.

Il participe à des réunions sur les conséquences possibles des projets hydroélectriques pour l'environnement.

Les grands projets de construction – les barrages, par exemple – dérangent l'environnement. La végétation est détruite. Les eaux de pluie entraînent le sol dans les cours d'eau. Les activités humaines transforment l'habitat des poissons, des oiseaux et des autres animaux.

Beaucoup d'oiseaux aquatiques se reproduisent dans les terres humides de la région. Quand l'habitat est transformé, le nombre d'oiseaux risque de diminuer.

À mon avis, il faut soigneusement planifier les grands projets tels que les barrages hydroélectriques. Ils peuvent avoir des conséquences dangereuses pour l'environnement.

Faire ◆ Discuter ◆ Découvrir

1. a) Parle de l'importance des sites de reproduction pour les oiseaux et les autres animaux de la région.
   b) Fais un remue-méninges pour trouver le plus grand nombre de questions que tu pourrais poser à une réunion de planification dans la région.

Chapitre 6

Compréhension des concepts

1. Dessine un tableau d'organisation comme celui de la page 61 du chapitre 5. Écris le titre : « Les basses-terres de la baie d'Hudson ». Utilise les informations de ce chapitre et de tes notes pour remplir toutes les parties du tableau. Classe-le dans ton cahier.
2. Relève les termes de ce chapitre que tu ajouteras dans la partie Vocabulaire de ton cahier. Fais des diagrammes ou des petits dessins qui t'aideront à retenir les mots et leurs définitions.
3. Crée une pièce de monnaie pour illustrer et représenter l'importance de la vie animale dans les basses-terres de la baie d'Hudson.

Habiletés de recherche et de communication

4. Fais une recherche sur un animal des basses-terres de la baie d'Hudson. Suis le modèle de recherche de la page 14. Crée un mobile qui montre chacun des éléments suivants :
   a) titre
   b) dessin représentant l'animal
   c) où vit l'animal
   d) ce que mange l'animal
   e) danger qui pourrait menacer la survie de l'animal

Habiletés de lecture et de création des cartes/globes

5. Utilise la carte de la page 62 pour identifier les grands projets hydroélectriques de la région. Situe et indique les centrales hydroélectriques et les grands cours d'eau de la région sur la carte-croquis de la région.

Application des concepts et habiletés à d'autres contextes

6. En groupe de trois, créez un script pour une publicité commerciale qui sera diffusée à la radio ou la télévision sur la protection des terres humides au Canada. Partagez votre travail avec un autre groupe.

Lien avec Internet

7. Fais une recherche sur Internet pour trouver des sites sur le Parc provincial de l'Ours polaire ou le parc national Wapusk (voir : **http://parkscanada.pch.gc.ca/thesite/parks.cfm?siteid=94&language=fr** et **www.vacancescanada.com/pdf/aventures-passion-ete.pdf**).

Projet sur le Canada

1. Reprenez la carte-croquis du Canada que vous avez utilisée à la fin du chapitre 2. Coloriez la région des basses-terres de la baie d'Hudson. Indiquez les provinces et territoires situés dans cette région. Ajoutez les informations importantes. (Consultez les cartes de la page 62, du début et de la fin du manuel.)
2. Créez une brochure touristique pour votre province ou territoire. Elle présentera un sujet sur l'environnement naturel. Rangez-la dans votre album ou votre boîte à chaussures.

Les basses-terres du Saint-Laurents

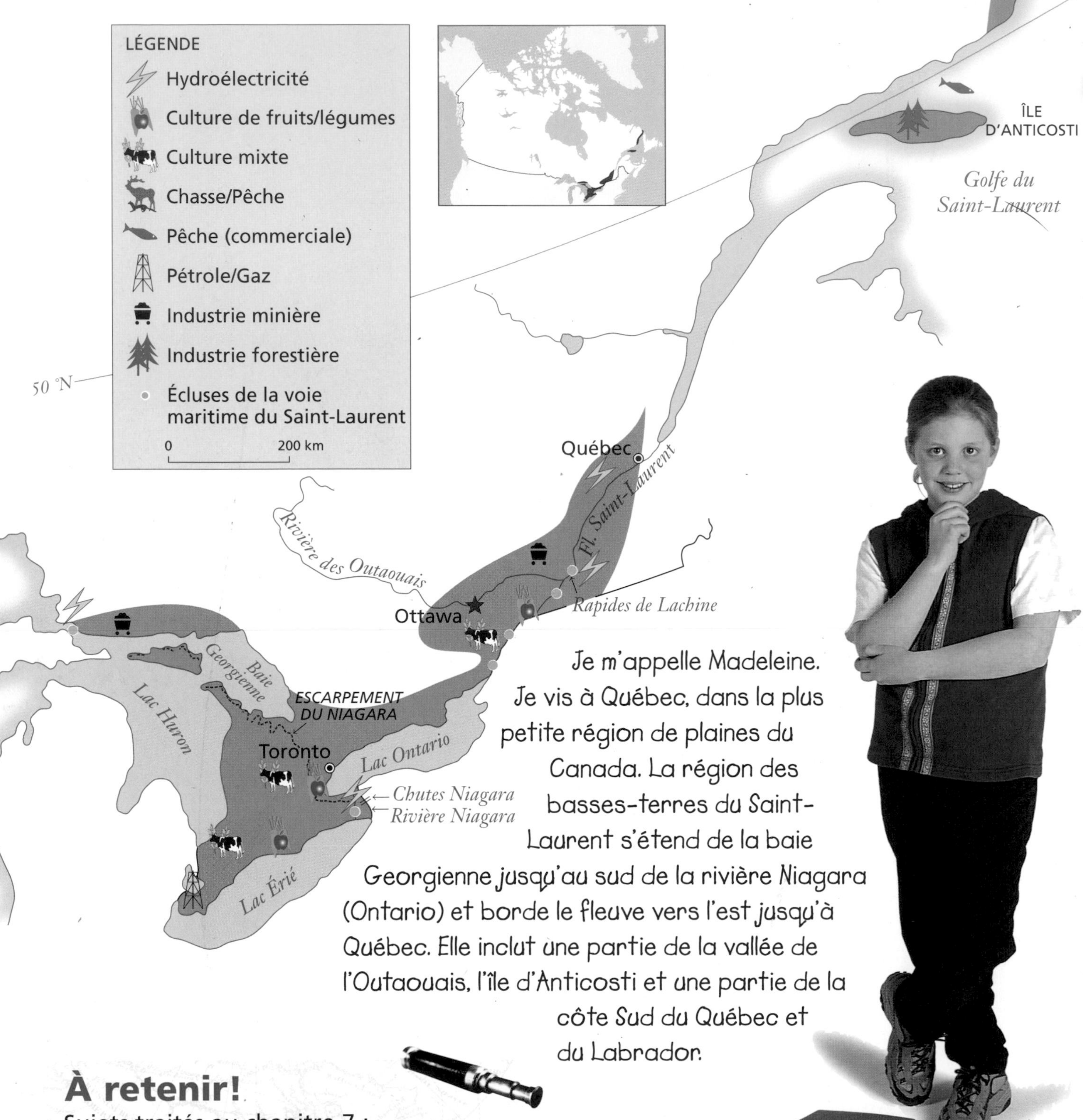

Je m'appelle Madeleine. Je vis à Québec, dans la plus petite région de plaines du Canada. La région des basses-terres du Saint-Laurent s'étend de la baie Georgienne jusqu'au sud de la rivière Niagara (Ontario) et borde le fleuve vers l'est jusqu'à Québec. Elle inclut une partie de la vallée de l'Outaouais, l'île d'Anticosti et une partie de la côte Sud du Québec et du Labrador.

À retenir!

Sujets traités au chapitre 7 :

- l'environnement physique de la région des basses-terres du Saint-Laurent
- l'escarpement du Niagara
- la voie maritime du Saint-Laurent et ses écluses
- identification des préoccupations

Vocabulaire

escarpement
estuaire
marées
sédimentaire
graminées
canal (canaux)
écluses

Les sols fertiles des plaines donnent d'excellentes terres agricoles.

Traits physiques

La région des basses-terres du Saint-Laurent est composée de plaines et de quelques collines. Ses rivières se jettent dans les cinq Grands Lacs et le fleuve Saint-Laurent. Les cours d'eau entraînent des particules de terre appelées sédiments. Peu à peu, ils ont formé une plaine au sol fertile.

La région est beaucoup plus basse que les zones environnantes. À certains endroits, il faut gravir une pente très abrupte pour atteindre les reliefs élevés – une sorte de falaise rocheuse appelée un **escarpement**. Les routes, les chemins de fer ou les bateaux doivent franchir cet obstacle pour passer des terres basses aux terres hautes.

Le Saint-Laurent se jette dans le golfe du Saint-Laurent. L'endroit où un grand fleuve se jette dans l'océan est appelé un **estuaire**. L'eau salée de l'océan se mélange à l'eau douce du fleuve.

Deux fois par jour, les marées font monter et baisser le niveau de l'eau dans l'estuaire et le golfe du Saint-Laurent à l'est de Québec.

Les marées sont des mouvements du niveau de l'eau provoqués par l'attraction de la Lune et du Soleil sur les mers et les océans de la Terre.

À certains endroits, la région des plaines du Saint-Laurent est très étroite.

L'escarpement du Niagara

Dans sa partie ontarienne, l'escarpement du Niagara mesure 725 kilomètres de long. Il s'étend de Queenston sur la rivière Niagara jusqu'à l'île Manitoulin dans la baie Georgienne. Au point le plus élevé, il atteint une hauteur de 335 mètres. La rivière Niagara franchit l'escarpement aux chutes Niagara (Ontario).

Faire ◆ Discuter ◆ Découvrir

1. Que faisaient les voyageurs pour franchir les escarpements, il y a 200 ans?
2. Essaie de deviner les cultures qui poussent probablement dans cette région fertile. (Tu pourras vérifier tes prévisions plus tard dans le chapitre!)

Niagara : une merveille de la Nature

Savais-tu que les chutes de Niagara se déplacent? À l'origine, à la fin de la dernière glaciation, elles étaient à 11 km en **aval**!

L'eau des chutes s'écoule à un débit de 14 millions de litres par minute. Peu à peu, l'eau qui franchit les chutes Horseshoe a usé les roches. Sous l'effet de l'érosion, les chutes Niagara reculent de 1,2 mètre par an.

Les chutes Niagara se composent de trois couches de roches **sédimentaires** : la dolomite, le schiste *[shale]* et le calcaire. La dolomite se trouve au-dessus. Elle forme une couche dure et épaisse. Au-dessous, le schiste et le calcaire sont des roches plus tendres. Les roches sédimentaires sont formées par des couches successives de sédiments (ou dépôts faits de débris de roches usées par l'eau) qui durcissent.

L'eau des chutes tombe dans la rivière Niagara située loin en-dessous. Elle rejaillit sur la paroi de l'escarpement. La force de l'eau détruit les couches tendres plus rapidement que la couche dure. Peu à peu, les roches tendres du dessous sont détruites. La dolomite – la couche supérieure plus résistante – s'use moins vite. Finalement, elle se détache par blocs et tombe dans la rivière. C'est ainsi que la forme et la position des chutes se modifient.

Les chutes Niagara ne sont pas les plus hautes de la planète, mais elles ont le plus important volume d'eau au monde.

Faire ◆ Discuter ◆ Découvrir

1. En groupes de trois, préparez l'expérience que vous pourriez faire pour démontrer comment la position des chutes Niagara change. Quels matériaux pourriez-vous utiliser? Quelles étapes pourriez-vous suivre? Auriez-vous besoin d'obtenir la permission de votre enseignant-e ou de respecter des consignes de sécurité? Lesquelles? Vous n'aurez pas besoin d'effectuer votre expérience.

La voie maritime du Saint-Laurent

Depuis longtemps, le Saint-Laurent est une voie de communication importante. Les Autochtones, les explorateurs européens et les colons ont tous navigué sur le Saint-Laurent.

Avant la construction du premier canal, les gros bateaux ne pouvaient pas remonter le fleuve au-delà des rapides de Lachine (Québec).

On a construit des **canaux** pour redresser et approfondir le lit du fleuve. Ainsi, les gros bateaux ont pu continuer à naviguer vers l'intérieur des terres. Plus tard, on a fait des **écluses** pour faire monter ou descendre les bateaux dans les zones où l'altitude varie beaucoup. Peu à peu, d'autres projets ont permis d'améliorer la navigation.

Le lac Supérieur est le second lac d'eau douce du monde en importance.

Depuis 1959, les bateaux peuvent parcourir 3790 km sur la voie maritime du Saint-Laurent – jusqu'à Thunder Bay sur la côte Ouest du lac Supérieur.

Aujourd'hui, la voie maritime est fréquentée par de nombreux bateaux – des énormes pétroliers et navires de charge aux minuscules bateaux de plaisance.

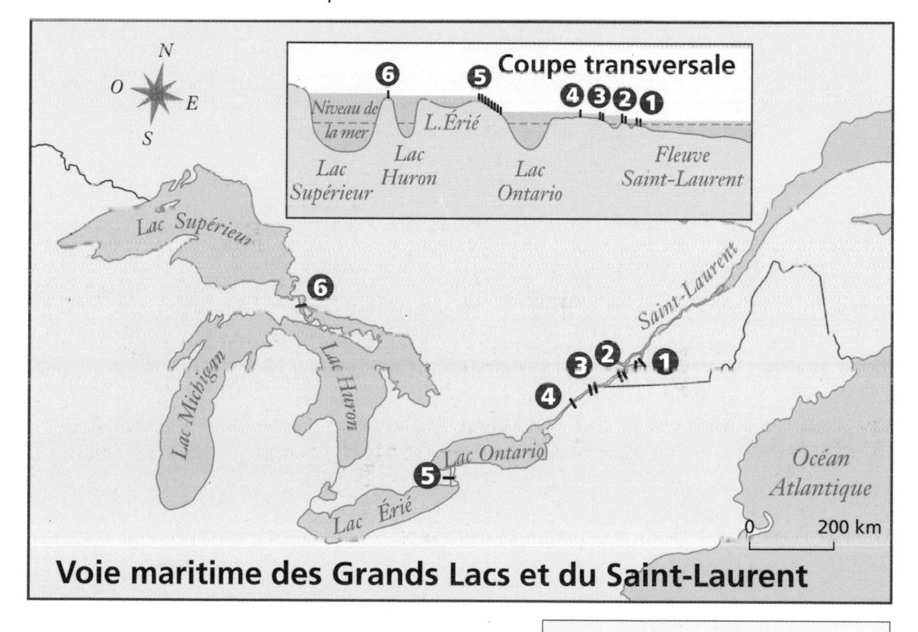

Voie maritime des Grands Lacs et du Saint-Laurent

LÉGENDE

Réseau d'écluses

1. Saint-Lambert et Côte Sainte-Catherine
2. Beauharnois (2)
3. Snell et Eisenhower
4. Iroquois
5. Canal Welland (8)
6. Sault Ste. Marie

Faire ◆ Discuter ◆ Découvrir

Associe-toi à un-e partenaire pour faire une recherche sur l'histoire de la voie maritime du Saint-Laurent.

1. a) Qui ont été les premiers à naviguer sur le Saint-Laurent?
   b) Quand a-t-on construit les premiers canaux et écluses?
   c) Et les derniers?
2. Crée une ligne du temps sous forme de fleuve pour présenter les dates par ordre chronologique.

La voie maritime ressemble à une route fluviale à travers la campagne.

Les écluses

Un réseau d'écluses permet de contrôler la navigation sur la voie maritime du Saint-Laurent. Les écluses fonctionnent comme des ascenseurs. Les bateaux entrent dans un bassin artificiel fermé par des portes à chaque extrémité. Puis, le niveau de l'eau monte ou descend pour leur permettre de sortir à un niveau supérieur ou inférieur. L'exemple ci-dessous illustre le passage d'un bateau dans une écluse.

Les écluses permettent aux bateaux de passer à un niveau inférieur ou supérieur.

Un bateau attend dans l'écluse de Beauharnois, près de Montréal.

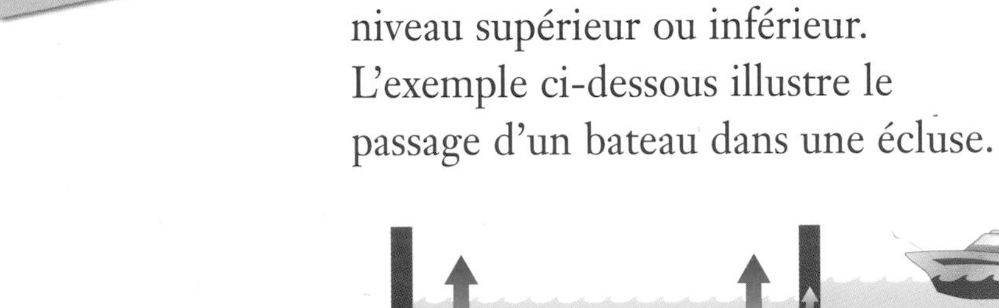

Étape 1

Le bateau s'approche de l'écluse. Les deux portes sont fermées. Le bassin se remplit d'eau pour atteindre le même niveau que le fleuve à l'entrée.

Étape 2

La première porte s'ouvre et le bateau entre dans l'écluse. Puis, la porte se referme.

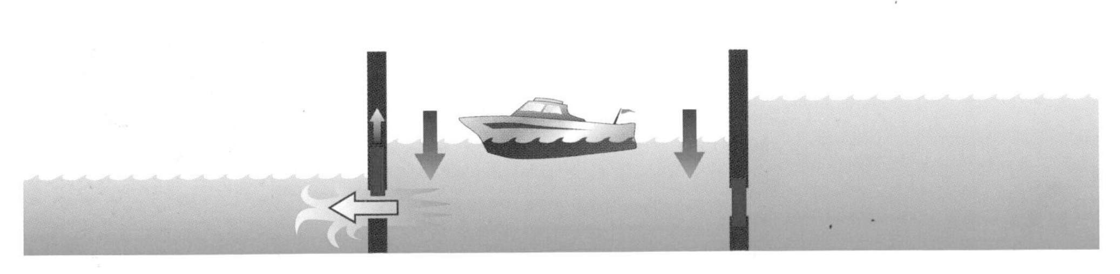

Étape 3

Quand les deux portes sont fermées, l'eau de l'écluse se vide pour atteindre le même niveau que le fleuve à la sortie.

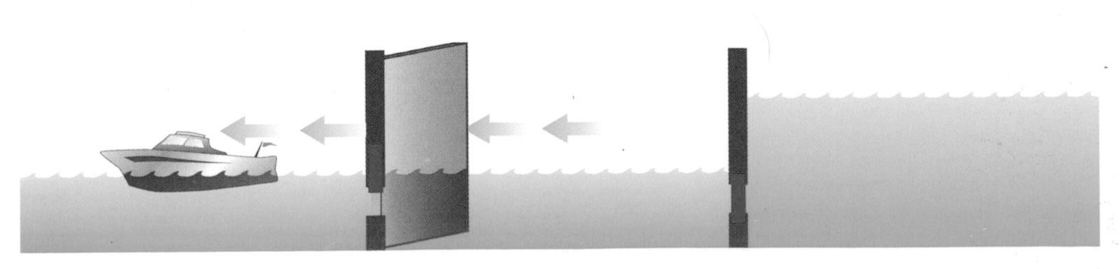

Étape 4

La porte de sortie s'ouvre. Le bateau quitte l'écluse pour continuer sa route. La porte se referme.

Climat

L'été est chaud et humide dans les basses-terres du Saint-Laurent. La région bénéficie d'une des plus longues saisons de croissance du Canada. En général, l'hiver est froid et les neiges sont abondantes.

Pendant les journées chaudes de l'été, les plages attirent les visiteurs.

La région peut être divisée en plusieurs parties. Il fait plus froid près de l'Atlantique que près des Grands Lacs. La zone Atlantique est située plus au nord; les tempêtes y sont fréquentes.

Située près de la pointe Pelée, dans le lac Érié, l'île Middle est le lieu le plus au sud du territoire canadien, soit à 42° de latitude N. Presque toute la frontière Sud du Canada est formée par le 49e parallèle, à 49 °N.

Dans certaines parties de la région, les précipitations tombent sous forme de neiges abondantes.

Végétation

On trouve des forêts anciennes et nouvelles dans les basses-terres du Saint-Laurent. Elles abritent de nombreuses espèces de feuillus et de conifères. L'humidité et la chaleur de l'été favorisent la croissance des arbres.

Les feuillus tels que le bouleau, l'érable et le noyer poussent dans la région. On y trouve aussi des conifères tels que le pin, le sapin et l'épinette. Il y a également beaucoup d'arbustes, de fleurs et de **graminées**.

Le trille grandiflore est l'emblème floral de la province de l'Ontario. Il fleurit au début du printemps dans les forêts de la région.

Vie animale

De nombreuses espèces animales vivent dans les basses-terres du Saint-Laurent : le cerf de Virginie, l'écureuil, le coyote, l'orignal, le loup, le lièvre d'Amérique et le lynx. Parmi les oiseaux typiques de la région, il y a la fauvette, le carouge à épaulettes et le merle-bleu. En route vers leur habitat d'été et d'hiver, beaucoup d'animaux migratoires y font de courts séjours.

Ce pic-bois a fait son nid dans un peuplier.

Ressources naturelles

Les bonnes terres agricoles et la voie maritime du Saint-Laurent sont les deux ressources naturelles les plus importantes des basses-terres du Saint-Laurent. Cette bande étroite de plaines bénéficie d'un sol fertile, d'un climat doux et d'abondantes réserves d'eau. On y cultive beaucoup de fruits et de légumes. Les pêches, les pommes et les raisins sont quelques-uns des produits réputés de la région.

Pour que les pommes mûrissent, les vergers ont besoin de nombreux jours sans gelées.

L'industrie laitière est une des activités importantes de la région.

Les Grands Lacs et le Saint-Laurent forment une voie navigable qui traverse plus de la moitié de la largeur du Canada! Depuis des milliers d'années, elle sert au transport des voyageurs et des marchandises.

D'énormes navires de haute mer passent devant les villages établis le long du Saint-Laurent.

Un nombre considérable d'industries se sont établies dans la zone des basses-terres du Saint-Laurent, en Ontario et au Québec. Elles fournissent toutes sortes de produits. Elles utilisent des ressources naturelles qui viennent de nombreuses régions. C'est pourquoi les transports sont importants.

Une grande partie de la population canadienne profite des réserves d'eau douce des basses-terres du Saint-Laurent. Elles servent à satisfaire de nombreux besoins – boisson, nettoyage, production industrielle, loisirs, agriculture, transport et production d'hydroélectricité.

Faire ◆ Discuter ◆ Découvrir

1. Quels types de cultures et de produits agricoles trouve-t-on dans les basses-terres du Saint-Laurent? Pense aux différentes parties de la région. Indique cinq types de produits dans ton cahier.
2. Fais la liste des différents usages et avantages de la voie maritime du Saint-Laurent. Indique combien de ces avantages te touchent personnellement. Explique rapidement comment.

Les arts des basses-terres du Saint-Laurent

Les courtepointes sont une forme d'art ou d'artisanat. À l'origine, ce sont des couvertures de lit fabriquées à l'aide de morceaux de tissu qui forment des motifs décoratifs – des dessins géométriques ou abstraits, le plus souvent. D'autres représentent des tableaux aux couleurs et aux textures variées.

Les dessins géométriques sont créés à partir de morceaux identiques utilisés de façons différentes ou de morceaux différents qui reprennent le même motif. Le contraste est un élément important.

« La route non fréquentée », œuvre créée par Bridget O'Flaherty de Perth (Ontario)

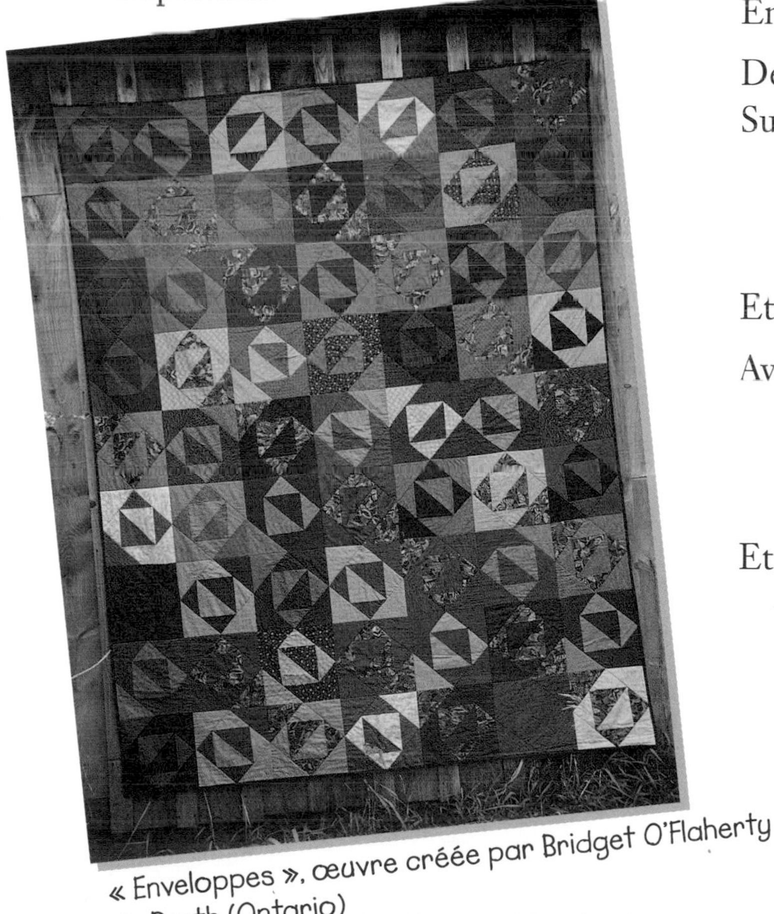

« Enveloppes », œuvre créée par Bridget O'Flaherty de Perth (Ontario)

Motifs

Clair-obscur – la lumière et l'ombre
Jouent et se répondent
Comme le dialogue de deux tam tams
et d'une flûte au-delà de la surface du lac.
Et le clair de lune luit sur le quai
En cette dernière nuit d'été au chalet.

Demain, tu prendras la route.
Sur des milles et des milles, tu verras défiler les forêts,
les épilobes,* les cheminées d'usine, les trains,
les gravières, les routes secondaires,
les autobus scolaires poussiéreux
Et les restaurants-minute.

Avant de retrouver ton chez toi,
les rues que tu connais,
la sonnerie familière du téléphone
le ronron de la machine à laver
Et ton propre lit – enfin.

– D'après B. Gibbs

*Plante également appelée « bouquets rouges ».

Faire ◆ Discuter ◆ Découvrir

1. Associe-toi à un-e partenaire pour expliquer comment l'image de la courtepointe *La route non fréquentée* représente les basses-terres du Saint-Laurent.
2. Crée une œuvre d'art fondée sur un ou plusieurs motifs – sons, couleurs, textures ou images, par exemple.

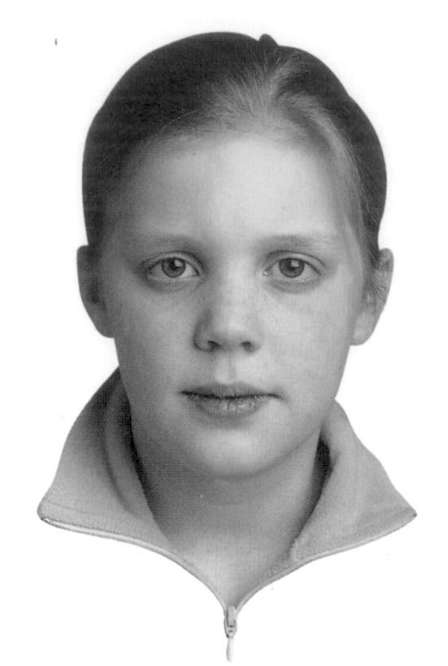

La préoccupation de Madeleine

Ma tante organise des excursions scolaires sur les voies de navigation de la région – pour montrer les baleines du golfe du Saint-Laurent.

Il y a beaucoup d'industries près de la voie maritime du Saint-Laurent. Les usines contribuent à la pollution de l'air et de l'eau. Parfois, il y a des fumées noires et épaisses dans cette région.

Les basses-terres du Saint-Laurent sont la partie la plus peuplée du Canada. On y trouve le plus grand nombre d'habitants par kilomètre carré. Les véhicules, les logements et les commerces produisent des fumées et des déchets.

DANGER
EAUX POLLUÉES
BAIGNADE INTERDITE

Les niveaux de pollution inquiètent la population. Certains étés, les plages sont tellement polluées qu'il faut interdire les baignades. La pollution de l'air produit des pluies acides dangereuses pour la végétation et les matériaux de construction. Parfois, on trouve des poissons morts au bord de l'eau.

Tout le monde doit faire sa part pour combattre la pollution. Si la population continue à augmenter, j'ai peur que les problèmes s'aggravent. Il faut absolument planifier pour préserver l'environnement.

Faire ◆ Discuter ◆ Découvrir

1. Discutez des raisons possibles qui expliquent le nombre élevé d'habitants et d'industries dans la région.
2. La voie maritime sert à beaucoup de choses. Discutez des effets provoqués par le nombre élevé d'habitants et d'industries sur cette voie maritime.

Chapitre 7

Compréhension des concepts

1. Dessine un tableau d'organisation comme celui de la page 69 du chapitre 6. Écris le titre: « Les basses-terres du Saint-Laurent ». Utilise les informations de ce chapitre et de tes notes pour remplir toutes les parties du tableau. Classe-le dans ton cahier.
2. Relève les termes de ce chapitre que tu ajouteras dans la partie Vocabulaire de ton cahier. Fais des diagrammes ou des petits dessins qui t'aideront à retenir les mots et leurs définitions.
3. Dessine ton propre diagramme pour illustrer le fonctionnement d'une écluse. Rédige une explication dans tes propres mots.

Habiletés de recherche et de communication

4. Tiens un journal d'un jour pour décrire comment on utilise l'eau chez toi. Fais une recherche pour découvrir comment vous pourriez réduire votre consommation. (Suis le modèle de recherche de la page 14.) Discute de tes résultats avec deux autres élèves de ta classe.
5. Fais une recherche sur les chutes Niagara. Crée une annonce illustrée d'une page qui fournira des renseignements sur les lieux à visiter et les activités possibles aux chutes Niagara.

Habiletés de lecture et de création des cartes/globes

6. Dessine ou recopie le diagramme de la voie maritime du Saint-Laurent (page 73). Indique tous les éléments du diagramme et classe-le dans ton cahier.
7. Sur une carte-croquis de la région, situe et indique les villes importantes établies sur la voie maritime du Saint-Laurent; situe et indique aussi les principales voies de transport – routes fluviales, aériennes, terrestres et ferroviaires (chemins de fer).

Application des concepts et habiletés à d'autres contextes

8. Crée un dépliant publicitaire pour annoncer une *Journée de grand nettoyage des plages* dans ta communauté. N'oublie pas de donner la date, l'heure et d'autres informations utiles (ce que les participants doivent porter ou apporter).

Projet sur le Canada

1. Reprenez la carte-croquis du Canada que vous avez utilisée à la fin du chapitre 2. Coloriez la région des basses-terres du Saint-Laurent. Indiquez les provinces et territoires situés dans cette région. Ajoutez les informations importantes. (Consultez les cartes de la page 70, du début et de la fin du manuel.)
2. Sur une carte-croquis de votre province ou territoire, situez et indiquez les principaux cours d'eau, lacs et masses d'eau. Au dos de la carte ou sur une autre feuille, créez un tableau qui montrera les principaux cours d'eau, ainsi que les utilisations et les avantages de chacun. Rangez-le dans votre album ou votre boîte à chaussures.

La région des Appalaches

Je m'appelle Lincoln et je viens de la région des Appalaches. C'est une région qui inclut la totalité du Nouveau-Brunswick, de la Nouvelle-Écosse et de l'Île-du-Prince-Édouard, ainsi qu'une partie du Québec et de l'île de Terre-Neuve.

À retenir!

Sujets traités au chapitre 8 :

- l'environnement physique de la région des Appalaches
- le cycle des marées
- le pont de la Confédération
- une communauté de pêcheurs
- identification des préoccupations

Vocabulaire

courant marin
plateau continental
Grands Bancs
amplitude de la marée
coup de vent (tempête)
récolter
pêche côtière
pêche hauturière
chalutier
aquaculture

Traits physiques

La région des Appalaches fait partie d'une chaîne de montagnes peu élevées – une chaîne « ancienne », d'après les scientifiques. Elles ont été formées bien avant les montagnes de la Cordillère. Pendant des millions d'années, elles ont été usées par l'érosion.

Le long de la côte, il y a des falaises rocheuses, des îles, des baies, des ports abrités et des plages.

La région donne sur l'Atlantique. Elle compte des milliers de kilomètres de côtes. L'Île-du-Prince-Édouard, Terre-Neuve et l'île du Cap-Breton en sont les îles principales. Les vagues, les **courants marins** et les marées ont sculpté les falaises et ont formé les plages.

Les courants marins sont des mouvements de masses d'eau au sein des mers ou des océans. Ils peuvent entraîner les bateaux sur des kilomètres le long des côtes ou en haute mer.

Près des côtes de la région des Appalaches, le fond de l'océan s'abaisse graduellement. Puis, il plonge brusquement dans une fosse profonde. Ce fond en pente est appelé le **plateau continental**. Les zones peu profondes du plateau se trouvent au sud-est de Terre-Neuve. Ce sont les célèbres **Grands Bancs de Terre-Neuve** – des lieux riches en poissons.

Dans les plaines et les vallées des Appalaches, on trouve des sols fertiles, ainsi que des terrains rocheux ou marécageux.

Pour assurer leur sécurité, toutes les créatures qui nagent dans les océans – les êtres humains ou les poissons – doivent apprendre à connaître les marées.

Vallée verdoyante, le long de la rivière Saint-Jean (Nouveau-Brunswick)

Faire ◆ Discuter ◆ Découvrir

1. Au sein d'un petit groupe, crée un dépliant destiné aux touristes qui visitent les plages de la région des Appalaches. Il servira à les informer sur les dangers des marées et des courants marins.

Les marées

Les marées sont les mouvements du niveau de l'eau provoqués par l'attraction de la Lune et du Soleil sur les mers et les océans de la Terre.

Les marées de la baie de Fundy sont les plus fortes au monde. La différence de niveau entre la marée haute et la marée basse peut atteindre 15 mètres. Compare ce chiffre à la hauteur du toit de ta maison!

À marée basse, ces bateaux sont à sec le long de la baie de Fundy. Quand l'eau monte, ils flottent de nouveau.

Pendant environ six heures, l'eau monte et s'approche des côtes. Puis, l'eau se retire de nouveau vers la mer. Ce mouvement dure également près de six heures. La différence de niveau entre la marée haute et la marée basse est appelée l'**amplitude de la marée**.

Les marées font bouger les eaux de la Terre. Elles apportent des aliments frais et de l'oxygène aux plantes et aux animaux qui vivent près des côtes; elles emportent aussi les déchets. À Annapolis (Nouvelle-Écosse), les marées alimentent une centrale qui fournit de l'électricité à toute la région.

Climat

Les pluies abondantes favorisent la croissance des forêts.

Le climat de la région des Appalaches est varié. Les étés peuvent être frais ou chauds et pluvieux. Il pleut beaucoup pendant les longs hivers. Les précipitations annuelles sont d'environ 1100 mm à 1400 mm.

Les eaux du détroit de Northumberland (qui rattache l'Île-du-Prince-Édouard au continent) gèlent en hiver. Les tempêtes violentes sont fréquentes. Dans les îles et près des côtes, les vents peuvent atteindre une vitesse de 100 km à l'heure.

Quand la vitesse du vent dépasse 50 ou 60 km à l'heure, on parle de tempête ou de coup de vent.

Les tempêtes de verglas et de neige sont fréquentes sur la côte de l'Atlantique.

Faire ◆ Discuter ◆ Découvrir

1. Fais une recherche sur Internet pour en savoir plus sur les tempêtes et le détroit de Northumberland. Au sein d'un petit groupe, crée un bulletin météorologique ou un avis de violente tempête pour le jour suivant. Lisez votre bulletin à un autre groupe.

Le pont de la Confédération

Le pont de la Confédération relie l'Île-du-Prince-Édouard et le Nouveau-Brunswick. Il mesure 12,9 kilomètres et a été inauguré officiellement le 31 mai 1997.

Le pont de la Confédération a été conçu pour résister au mauvais temps du détroit de Northumberland. Pendant de nombreuses années, des ingénieurs ont étudié les effets possibles des marées, des tempêtes et des glaces sur la structure du pont. Par exemple, ils ont créé des appuis qui servent à fendre les blocs de glace qui traversent le détroit.

Une station d'observation surveille les conditions de la météo sur le pont – 24 heures sur 24. Elle signale la vitesse et la direction du vent, la température de l'air et de la route, le taux d'humidité et de précipitation.

Quand il fait très mauvais, le pont est fermé à la circulation. Comme autrefois, les gens doivent prendre le traversier pour atteindre l'Île-du-Prince-Édouard.

Le pont de la Confédération est le pont le plus long construit dans une zone envahie par les glaces.

Faire ◆ Discuter ◆ Découvrir

1. À ton avis, pourquoi a-t-on voulu construire un pont entre l'Île-du-Prince-Édouard et le Nouveau-Brunswick?
2. D'après ce que tu sais sur le climat de la région, pourquoi les ingénieurs ont-ils passé beaucoup de temps à concevoir le pont?

Pour en savoir plus sur l'histoire de ce pont, tu peux accéder à ce site très intéressant : www.confederationbridge.com.

Végétation

Des forêts mixtes de chênes, d'érables rouges, d'épinettes et de pins blancs poussent dans les vallées et les régions peu élevées.

Dans sa partie continentale, la région des Appalaches est boisée. Les conifères poussent dans les endroits élevés, à l'intérieur des terres et près des côtes. On y trouve des forêts d'épinettes noires et blanches. Autrefois, il y avait des forêts de feuillus en altitude – des bouleaux blancs et jaunes, des hêtres et des érables à sucre. Elles ont été presque entièrement détruites pour les besoins de l'industrie forestière.

La croissance des arbres est lente dans la région des Appalaches. Le climat est difficile. En général, le sol est rocheux ou peu fertile.

Il y a des baleines dans le golfe du Saint-Laurent, mais elles sont menacées par la pollution.

Vie animale

Autrefois, cette région comptait parmi les lieux de pêche les plus riches au monde. La morue était particulièrement abondante. Aujourd'hui, on y trouve de moins en moins de poissons.

Les phoques gris et les phoques communs peuplent les ports et les estuaires.

La région continentale abrite de nombreuses espèces animales : le cerf de Virginie, le renard, le lièvre d'Amérique, le coyote, le vison, la loutre, le rat musqué, le porc-épic, le castor et le raton laveur, entre autres.

Autrefois, il y avait peu d'animaux terrestres dans l'île de Terre-Neuve. De nombreuses espèces ont été importées : l'orignal, le caribou, le lièvre d'Amérique et l'écureuil, par exemple.

Le grand héron et de nombreuses espèces de canards, d'oiseaux de rivage et de gibier d'eau peuplent les plages, les marais et les étangs.

L'île Bonaventure est un refuge d'oiseaux migrateurs. Elle est célèbre pour ses colonies de puffins, de mouettes et de fous de Bassan, entre autres.

Des milliers d'oiseaux de mer tels que les puffins, les mouettes et les pingouins se reproduisent dans les îles et les falaises rocheuses.

Faire ◆ Discuter ◆ Découvrir

1. a) Fais une recherche sur un des animaux de la région.
   b) Rédige une fiche de renseignements sous forme de carte postale – avec des renseignements d'un côté et la photo ou le dessin de l'animal de l'autre côté.
   c) Prépare quatre indices de type « Qui suis-je? » pour l'animal que tu as choisi.
   d) Associe-toi à un-e partenaire pour jouer à la devinette. Puis, partagez votre carte avec d'autres élèves.

Ressources naturelles

Autrefois, la région des Appalaches était connue pour son charbon et son poisson. Aujourd'hui, les coûts d'exploitation ont augmenté. La plupart des mines de charbon sont fermées; les stocks de poissons diminuent; l'industrie de la pêche s'affaiblit.

On trouve encore quelques mines : du zinc, du plomb, de la potasse, du sel, de l'amiante, du cuivre et de l'or. Il y a aussi deux champs pétroliers au large de Terre-Neuve. L'un se trouve sur le plateau continental à proximité de la Nouvelle-Écosse; l'autre est situé sur les Grands Bancs de Terre-Neuve.

Le gouvernement interdit aussi aux pays étrangers de pêcher à moins de 200 milles marins des côtes canadiennes. (Le mille marin mesure environ 1850 mètres.) Ces mesures sont destinées à protéger les précieuses ressources de la mer.

Le mot *récolter* ou *récolte* sert souvent à décrire une des activités de certaines industries – l'agriculture, la pêche et l'exploitation forestière, par exemple.

Il y a deux types de pêches commerciales. La **pêche côtière** est une activité familiale pratiquée de mai à septembre sur de petits bateaux. Les marins fournissent de la morue et du homard aux restaurants locaux et aux régions touristiques.

Le champ pétrolifère Hibernia se trouve sur les Grands Bancs.

La pêche

De nombreuses espèces sont récoltées dans la région de l'Atlantique : la morue, le saumon, le flétan, le sébaste, le hareng, l'espadon, la sole, la limande, l'aiglefin; le homard et les palourdes. Le gouvernement adopte des lois pour tenter de préserver les stocks de poissons.

Le gouvernement limite les prises de poissons pour que l'industrie de la pêche continue à fournir des aliments et des emplois à la population du Canada.

La pêche en haute mer ou **pêche hauturière** est pratiquée par des flotilles de gros bateaux ou **chalutiers.** Ils tirent des filets d'acier sur le fond marin pour ramasser le poisson. Le conditionnement (la préparation et l'emballage) est effectué en mer. Ces bateaux usines travaillent toute l'année.

Faire ◆ Discuter ◆ Découvrir

1. Le gouvernement interdit aux pays étrangers de pêcher à moins de 200 milles marins des côtes canadiennes. Comment cette mesure protège-t-elle l'industrie canadienne de la pêche?

Une communauté de pêcheurs

Je vis à Shelburne (Nouvelle-Écosse). Cette communauté a été fondée dans le coin sud-ouest de la province, dans les années 1780. Elle compte 2245 habitants et possède le troisième meilleur port naturel au monde.

À l'origine, Shelburne était un centre de pêche et de construction navale. On y trouve encore de nombreux édifices du XVIIIe siècle. Les touristes viennent voir à quoi ressemblaient les anciens ports de pêche sur l'Atlantique.

La pêche est restée une activité très importante. Mais, aujourd'hui, nous pratiquons aussi une nouvelle industrie : l'aquaculture. C'est la culture de plantes ou l'élevage d'animaux qui vivent dans l'eau. L'article suivant a été publié dans le journal de mon école.

Nouvelle histoire de poissons

Depuis ces dernières années, des statistiques inquiétantes préoccupent les pêcheurs : les populations de poissons sont en train de disparaître. Le gouvernement souhaite limiter la pêche dans la zone des Grands Bancs et au large des côtes de notre province. Cependant, partout au Canada, la demande en poisson augmente. Il faut donc trouver de nouvelles façons de répondre à ce besoin.

Qu'est-ce que l'aquaculture? Ici, c'est l'élevage des poissons. Pour le pratiquer, il faut créer une série de bassins ou d'étangs, semblables à de grandes piscines. Ces bassins contiennent les poissons à différentes étapes de leur croissance.

Étangs d'aquaculture dans un élevage de poissons

Comme dans les autres fermes, il faut assurer la reproduction, l'alimentation et la récolte. Il faut s'occuper des œufs, nourrir les jeunes poissons et les récolter quand ils atteignent l'âge adulte. Ce type d'élevage est connu depuis des siècles dans certaines régions du monde. Au Canada, nous le pratiquons seulement depuis 25 ans. Nos aquaculteurs élèvent des moules bleues, des huîtres plates, des saumons arc-en-ciel et des pétoncles géants.

L'aquaculture a redonné espoir à de nombreuses personnes. C'est une façon de cultiver l'océan et de remplacer la pêche. De nombreux pays semblent prêts à acheter nos produits. L'aquaculture devrait fournir beaucoup d'emplois à l'avenir.

Pour en savoir plus sur l'aquaculture, visite le site du gouvernement de la Nouvelle-Écosse (www.gov.ns.ca/fish/aquaculture/application/training/htm) ou le site AquaNet du gouvernement canadien (www.aquanet.mun.ca).

Visitons Shelburne

1. Prépare une visite guidée de Shelburne. Planifie un itinéraire des lieux que tu visiteras et classe-le dans ton cahier. N'oublie pas le casse-croûte!

Les arts des Appalaches

Il y a d'importantes communautés francophones dans les Appalaches. Plusieurs régions de la Nouvelle-Écosse, de l'Île-du-Prince-Édouard et du Nouveau-Brunswick composent l'Acadie des Maritimes.

L'*Encyclopédie canadienne** offre un article détaillé sur la culture de l'Acadie – le cinéma, la musique, la littérature, la peinture et la sculpture. Pour en savoir plus, tu peux aussi consulter la bibliothèque. Tu connais peut-être déjà le nom ou les œuvres d'artistes acadiens célèbres : des groupes comme Beausoleil-Broussard, 1755, les Tymeux de la Baie; Édith Butler, Antonine Maillet.

Les artistes acadiens utilisent également Internet pour faire connaître leurs œuvres. Pour commencer, tu peux aller voir deux sites : L'Acadie au bout des doigts (**www.cyberacadie.com**) et le site géré par Réseau Acadie (**www.acadie.net**).

Faire ◆ Discuter ◆ Découvrir

1. En petits groupes (avec l'aide de votre enseignant-e, au besoin), trouvez une chanson ou un poème acadien sur un des sujets traités dans le chapitre 8 – les traits physiques, le climat, la végétation, la vie animale, les ressources naturelles, la pêche, etc.
2. Est-ce que ce texte apporte des idées ou des renseignements nouveaux?
3. À l'aide d'exemples de sons et d'images, montrez comment l'artiste crée certains effets pour nous aider à « voir » ce qu'il ou elle souhaite exprimer.

*Tu peux consulter l'Encyclopédie en version papier, sur CD ou en ligne (http://thecanadianencyclopedia.com/).

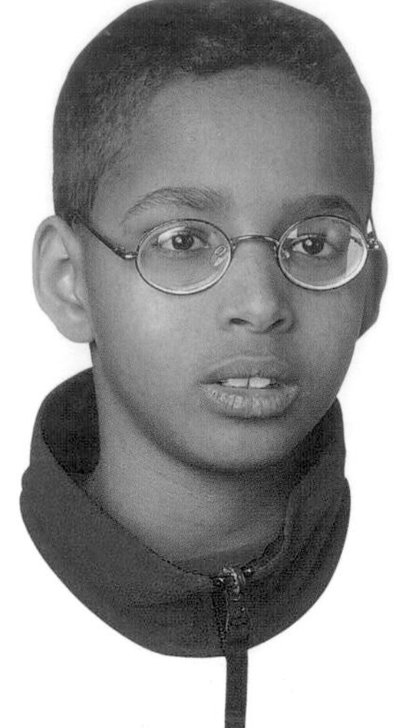

La préoccupation de Lincoln

Ma mère est biologiste du milieu marin. Le soir, quand elle rentre du travail, nous aimons bien discuter. Elle raconte sa journée; je décris ce que j'ai appris à l'école. L'autre jour, nous avons parlé de la diminution des stocks de poissons. Les pêcheurs ont beaucoup de mal à gagner leur vie.

Ma mère connaît bien les causes de ce problème. Elle m'a expliqué que les chalutiers ramassent tous les poissons – jeunes et adultes. Quand les jeunes poissons n'atteignent pas l'âge adulte, ils n'ont pas l'occasion de se reproduire.

Beaucoup de bateaux usines pêchent dans les mêmes zones. Des chalutiers venus de différents pays font concurrence aux compagnies de pêches canadiennes.

Aujourd'hui, les règlements sont plus sévères. Mais il faudra beaucoup de temps pour reconstituer les stocks de certaines espèces de poissons, de crustacés et de coquillages. Ce problème touche tous les habitants de Shelburne.

Les jeunes de ma communauté s'interrogent sur l'avenir de l'industrie des pêches et des poissons dans l'Atlantique.

Faire ◆ Discuter ◆ Découvrir

1. Explique les causes de la diminution des stocks de poissons. (Utilise les informations tirées de la page ci-dessus et du chapitre.)
2. Décris les conséquences possibles de la diminution des stocks de poissons pour les communautés comme Shelburne.

Chapitre 8

Compréhension des concepts

1. Dessine un tableau d'organisation régional comme celui de la page 79 du chapitre 7. Écris le titre : « La région des Appalaches ». Utilise les informations de ce chapitre et de tes notes pour remplir toutes les parties du tableau. Classe-le dans ton cahier.
2. Relève les termes de ce chapitre que tu ajouteras dans la partie Vocabulaire de ton cahier. Fais des diagrammes ou des petits dessins qui t'aideront à retenir les mots et leurs définitions.
3. Crée un diagramme en toile d'araignée sur les Grands Bancs et mets-le dans ton cahier.

Habiletés de recherche et de communication

4. Fais une recherche sur les différentes méthodes de pêche pratiquées près des côtes et en haute mer. Suis le modèle de recherche de la page 14. Fais un dessin pour illustrer chaque méthode et donne-lui un titre.

Application des concepts et habiletés à d'autres contextes

5. Écoute la radio pour suivre les bulletins d'information sur l'état des routes. Prépare le texte d'un bulletin sur le pont de la Confédération pour un jour d'hiver venteux. Enregistre ce texte ou lis-le aux élèves de ta classe.

Lien avec Internet

6. Va voir le site du pont de la Confédération (**www.confederationbridge.com**). Travaillez en petits groupes pour créer une fiche d'information (sur le modèle des cartes de baseball). Vous donnerez différentes statistiques – longueur du pont, nombre d'usagers, etc. N'oubliez pas d'inclure la photo du pont au recto.

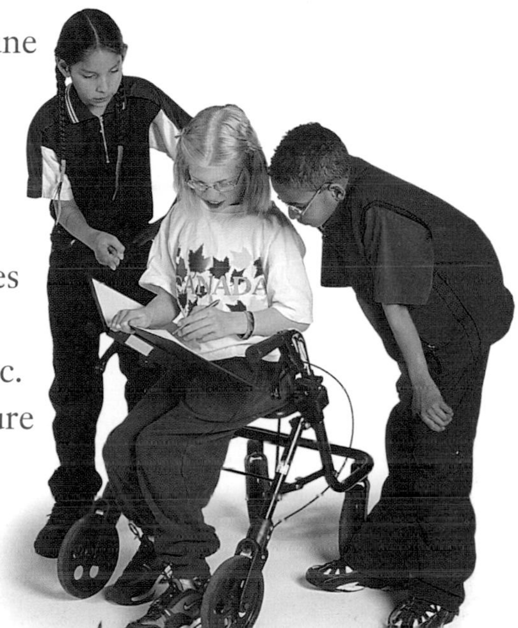

Projet sur le Canada

1. Reprenez la carte-croquis du Canada que vous avez utilisée à la fin du chapitre 2. Coloriez la région des Appalaches. Indiquez les provinces et territoires situés dans cette région. Ajoutez les informations importantes. (Consultez les cartes de la page 80, du début et de la fin du manuel, au besoin.)
2. Identifiez une forme de relief créée par l'eau ou le vent dans votre province ou territoire. Trouvez une photo ou dessinez cette forme de relief. Au dos de la feuille, rédigez un court paragraphe qui expliquera les origines de ce relief. Rangez-la dans votre album ou boîte à chaussures.
3. Placez tous les tableaux que vous avez remplis pour les régions situées dans votre province ou territoire dans votre album ou boîte à chaussures.

Chapitre 9

Nos provinces et nos territoires

Carte politique du Canada

Nous avons étudié le Canada, notre pays, de différentes façons. Nous avons examiné les sept régions physiques et nos richesses naturelles.

La carte ci-dessus montre les régions politiques du Canada. Le pays comprend dix provinces et trois territoires. Chacune de ces régions a sa propre capitale – la ville où son gouvernement se réunit.

À retenir!

Sujets traités au chapitre 9 :

- comment trouver et indiquer les provinces, les territoires et leurs capitales respectives
- Ottawa, la capitale du Canada
- lecture des cartes à l'aide d'une grille
- caractéristiques de chaque province et territoire
- les frontières des cartes

Vocabulaire

province
territoire
capitale
gouvernement fédéral
longitude
grille
frontière
limite
municipal

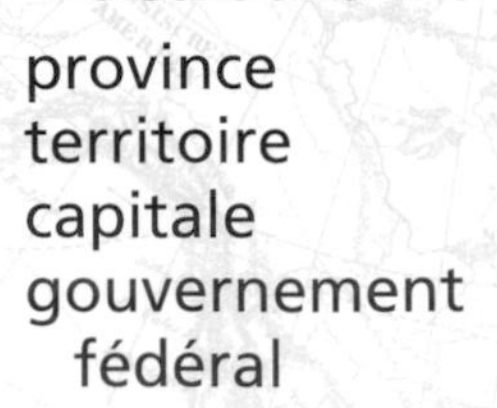

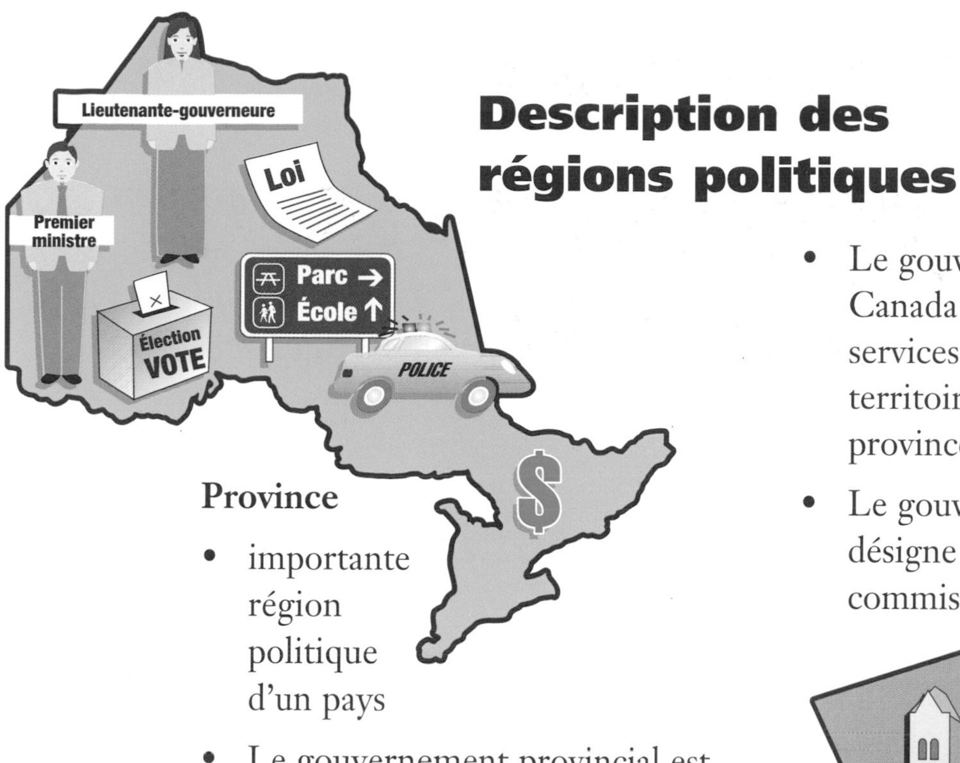

Description des régions politiques

À suivre
Le chapitre 10 donne des détails supplémentaires sur le gouvernement.

Province

- importante région politique d'un pays
- Le gouvernement provincial est élu par la population de la province.
- Le gouvernement provincial fait de nombreuses lois et fournit de nombreux services.
- La population finance le gouvernement et les services en payant des impôts et des taxes.
- Le gouvernement du Canada fournit certains services et finances.

Territoire

- région politique qui n'est pas encore une province. En général, le territoire est une vaste région peu peuplée.
- Le gouvernement territorial est élu par la population du territoire.
- Le gouvernement territorial fait certaines lois et fournit quelques services.
- La population finance le gouvernement et certains services en payant des impôts et des taxes.
- Le gouvernement du Canada fournit plus de services et de finances aux territoires qu'aux provinces.
- Le gouvernement du Canada désigne un commissaire.

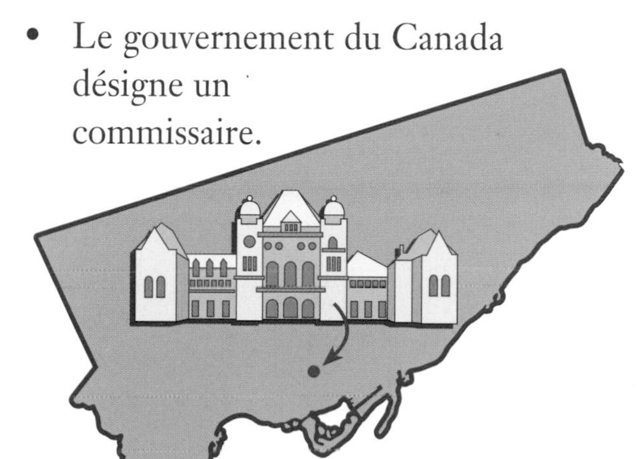

Capitale

- ville qui abrite les édifices du gouvernement d'un pays, d'une province ou d'un territoire
- La capitale n'est pas toujours la plus grande ville d'un pays, d'une province ou d'un territoire.
- Ottawa (Ontario) est la capitale nationale du Canada.
- Toronto est la capitale provinciale de l'Ontario.

Faire ◆ Discuter ◆ Découvrir

1. Ajoute les trois termes clés de cette page dans la partie Vocabulaire de ton cahier.
2. Trouve la carte-croquis du Canada où tu as indiqué les provinces, les territoires et les lieux d'où viennent les sept élèves du manuel. Maintenant, indique Ottawa et les capitales des provinces et des territoires.
3. Les jeux peuvent t'aider à retenir le nom des provinces et des territoires, ainsi que leurs capitales. Associe-toi à un-e partenaire. Inventez un jeu simple que vous pratiquerez. Échangez vos jeux avec d'autres équipes d'élèves.

Notre capitale nationale

Ottawa est la capitale du Canada. C'est là que le **gouvernement fédéral** se réunit. Il s'occupe des questions et des lois qui concernent la totalité du pays. Les membres du gouvernement fédéral sont appelés les députés ou membres du Parlement.

Des milliers de personnes se réunissent près des Édifices du Parlement à Ottawa pour célébrer la Journée du Canada.

Le marché By est un des lieux les plus anciens d'Ottawa. Il est réputé pour ses commerces et ses divertissements.

Le Musée des beaux-arts du Canada abrite de magnifiques collections. C'est un des nombreux musées d'Ottawa.

On utilise le canal Rideau pour faire du patin en hiver et du bateau en été.

Faire ◆ Discuter ◆ Découvrir

1. Fais un dessin des quatre saisons qui montrera comment le canal Rideau est utilisé toute l'année pour les loisirs.
2. Sur une page de ton cahier, fais un diagramme en toile d'araignée pour illustrer ce qui peut attirer les visiteurs à Ottawa. Laisse de la place pour ajouter des raisons supplémentaires à mesure que tu progresses dans le chapitre.

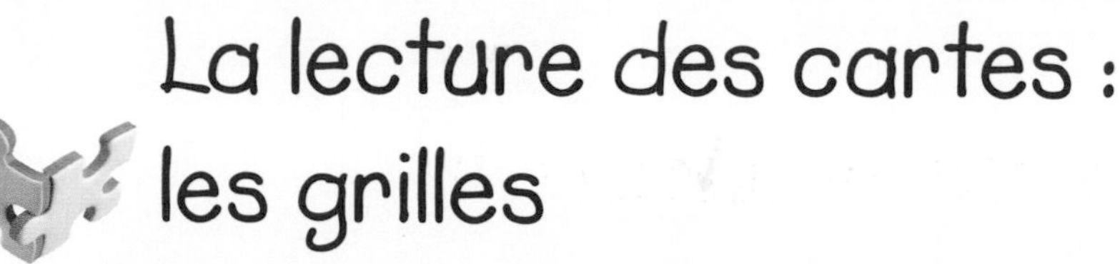

La lecture des cartes : les grilles

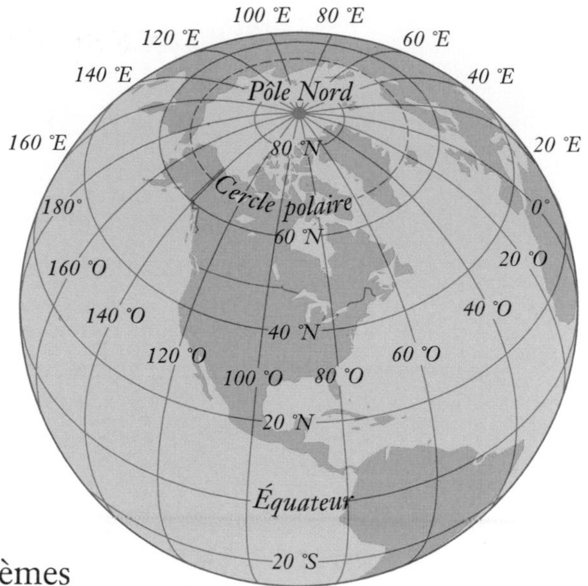

Examine attentivement le globe. Remarque les lignes est-ouest qui sont parallèles à l'équateur. Ce sont les lignes ou parallèles de latitude.

Il y a un autre système de lignes orientées du nord au sud. Elles ne sont pas parallèles. Elles sont le plus éloignées les unes des autres à hauteur de l'équateur et se rejoignent aux pôles Nord et Sud. Ce sont les lignes ou parallèles de **longitude**.

La latitude et la longitude permettent de localiser ou de décrire les lieux situés à la surface de la Terre. Les deux systèmes de lignes forment une **grille**. Cette grille ou ce quadrillage permet de diviser une région en blocs.

Les cartes sont munies d'une grille qui nous permet de repérer les lieux. Elle ressemble à un tableau composé de lignes verticales et horizontales. Les lignes verticales sont identifiées à l'aide de lettres; les lignes horizontales sont identifiées à l'aide de chiffres. Les chiffres et les lettres de la grille nous permettent de désigner les blocs. Voici un exemple de grille.

Pour trouver un objet sur une grille, place un doigt de la main droite sur la lettre qui l'identifie; place un doigt de la main gauche sur le chiffre qui l'identifie. Fais glisser le doigt de ta main droite le long de la colonne et le doigt de ta main gauche le long de la rangée horizontale. Le point de rencontre de tes deux doigts correspond à la case qui contient l'objet que tu cherches.

Faire ◆ Discuter ◆ Découvrir

1. Quel est l'objet de la case A2? Et celui de la case C3?
2. Dessine une grille. Mets tes propres symboles ou dessins dans les cases de la grille. Prépare cinq questions sur ces objets. Travaillez deux par deux. Chaque élève devra s'exercer à trouver les symboles sur la grille de son ou sa partenaire.

Visitons Ottawa

Aujourd'hui, nous allons visiter Ottawa. Les sites touristiques de la ville sont faciles à trouver : ils sont tout près les uns des autres. Nous allons nous diviser en équipes pour suivre les consignes données à la page suivante. Prenons ce plan et partons visiter notre capitale nationale.

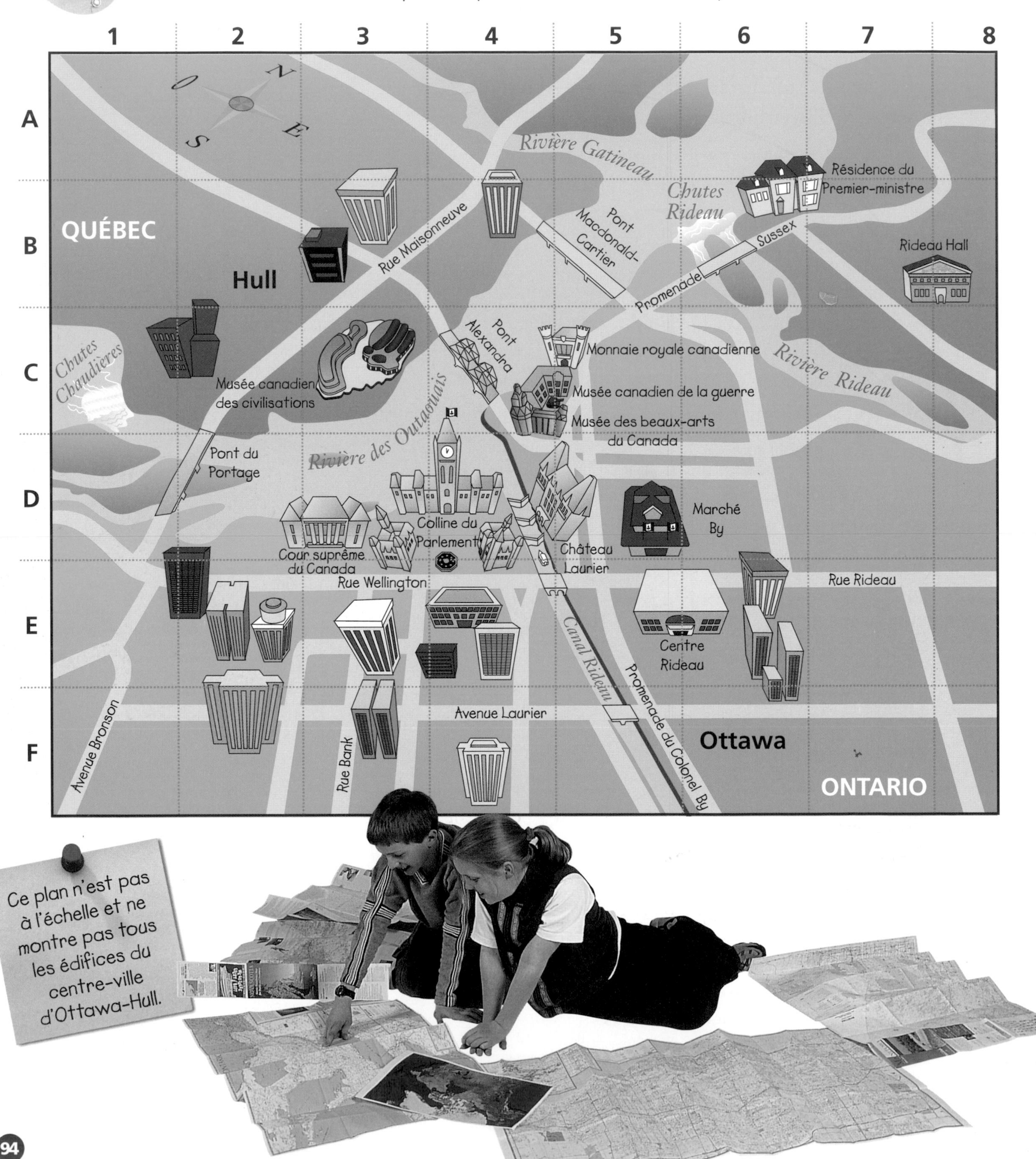

Ce plan n'est pas à l'échelle et ne montre pas tous les édifices du centre-ville d'Ottawa-Hull.

Visite guidée

1. Partez du Château Laurier (D5) et prenez la rue Wellington dans la direction ouest. Quand vous traverserez le pont, regardez vers le nord. Sur quel canal trouve-t-on ce réseau d'écluses?
2. Continuez votre promenade jusqu'à la Colline du Parlement (D4). La flamme qui se trouve devant l'édifice du Parlement a été allumée en 1967 pour célébrer le centenaire du Canada. Quel est l'âge du Canada aujourd'hui?
3. Vous pouvez visiter l'édifice du Centre (ou édifice du Parlement), qui abrite la Bibliothèque. C'est la seule partie de l'édifice qui a survécu à l'incendie de 1916. Où pouvez-vous aller pour avoir une vue panoramique de la ville?
4. Revenez sur la rue Wellington et rendez-vous jusqu'à D3. Vous pourrez y visiter la Cour la plus élevée du Canada. Silence! Les juges y prennent des décisions importantes pour toute la population canadienne. Comment s'appelle cet édifice?
5. Sautez dans un autobus et traversez le pont du Portage. Pendant ce trajet, regardez vers l'ouest. Quelle masse d'eau pouvez-vous apercevoir à l'arrière plan?
6. Descendez à hauteur de C3. Dans quelle ville ou province êtes-vous maintenant? Comment s'appelle le musée?
7. Traversez le pont situé à l'est du musée pour retourner à Ottawa. Rendez-vous jusqu'au bâtiment d'acier et de verre (C4). Il abrite toutes sortes de collections d'arts visuels. Comment s'appelle-t-il?
8. Dans la case C5, vous trouverez un musée consacré à l'argent utilisé au Canada. Comment s'appelle-t-il?
9. Tout près de là, on peut voir les armes et les uniformes des soldats qui se sont battus dans différentes régions du monde. Comment s'appelle cet autre musée?
10. Allez à pied jusqu'au marché de la case D5. On y vend une spécialité délicieuse : la queue de castor *[Beaver Tails]*. Il s'agit d'une petite pâtisserie en forme de queue de castor, garnie de sucre et de cannelle, par exemple.

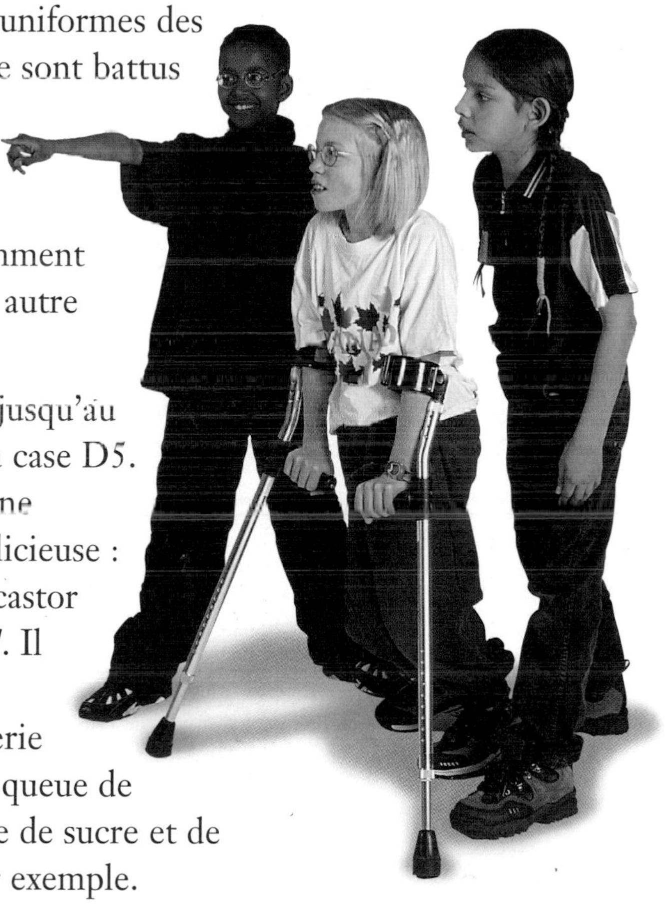

Pour en savoir plus, voir les sites : www.ottawakiosk.com et www.capcan.ca

Découvrons nos provinces et nos territoires

Il y a beaucoup de choses à apprendre sur les treize provinces et territoires du Canada. Partageons-nous le travail! Ce sera l'occasion d'aider nos camarades – et de nous faire aider.

Votre enseignant-e a déjà établi des groupes de travail sur les provinces et les territoires. Chaque groupe présentera à la classe ce qu'il a appris sur une province ou un territoire particulier.

Les cartes qui se trouvent à l'intérieur des couvertures avant et arrière donnent des renseignements utiles sur le Canada.

Après chaque exposé, tous les élèves devront participer à une séance de questions et de discussion avec le groupe qui l'a présenté. De plus, chaque élève devra prendre des notes dans son cahier.

Chacun des groupes devra distribuer une fiche d'information sur la province ou le territoire qu'il a présenté.

Tout ce que ton groupe aura préparé pour cet exposé sera inclus dans le projet du Canada. Chaque exposé devra inclure les éléments suivants :

1. une liste de faits principaux
   - nom de la province ou du territoire
   - capitale
   - superficie
   - symboles officiels
   - population
   - principales importations et exportations
   - caractéristiques remarquables (ex. la plus grande… ou le plus gros…)
2. la description des traits physiques, du climat, de la végétation, des animaux et des ressources naturelles. Il faut :
   - identifier chaque région physique et expliquer sa situation géographique dans votre province ou territoire;
   - choisir une forme de présentation intéressante : par exemple, un bulletin de nouvelles, une brochure ou un dépliant; un parchemin, un essai photographique accompagné de légendes.
3. des copies de notes que vous distribuerez à votre public (le résumé des faits présentés aux numéros 1 et 2)
4. une carte montrant les frontières, les formes de relief, les lacs et les cours d'eau principaux; les lieux importants, la capitale et les ressources naturelles
   - tous les éléments essentiels d'une carte
5. un projet original montrant ou racontant un aspect intéressant de votre province ou territoire
   - sous forme de poème illustré, de récit, de maquette ou de sculpture, de peinture, de diaporama, de sketch ou d'affiche, par exemple.

La Colombie-Britannique

Quelques faits

- 930 000 km^2
- 4 millions d'habitants
- région de la Cordillère

Surnom : *Beautiful BC* [la belle Colombie-Britannique]

Capitale : Victoria

Exportations : bois de construction, pulpe de papier, charbon, gaz naturel, pétrole, énergie électrique, minéraux, poissons et crustacés, légumes, fruits, fleurs, machines

Importations : produits fabriqués, blé et produits agricoles

Environnement

- îles rocheuses, montagnes élevées, fjords profonds sur la côte du Pacifique
- climat doux et humide
- Le parc national Pacific Rim abrite certains des arbres les plus hauts du monde.
- Trois chaînes de montagnes, des fleuves rapides et des vallées profondes ont longtemps gêné le transport des passagers et des marchandises.
- nombre limité de terres agricoles (dans les vallées et sur les plateaux)

Ressources naturelles

- saumon, hareng, morue, huîtres et flétan – récoltés dans l'océan et à l'embouchure des fleuves
- charbon, pétrole et gaz naturel
- métaux : or, plomb, zinc et argent; produits non métalliques : gypse et gravier, entre autres
- barrages hydroélectriques importants sur la rivière de la Paix, les fleuves Fraser et Columbia
- Les forêts de la province fournissent 40 p. 100 de la production canadienne totale de bois.

Vancouver et la vallée du Fraser comptent la moitié des 60 000 francophones de langue maternelle de la Colombie-Britannique.

Industries et produits

- industries : produits forestiers, bois et papiers, mines, tourisme, loisirs, agriculture, pêches, industries manufacturières
- raisins, pommes, pêches, prunes, abricots, poires et cerises dans la vallée de l'Okanagan
- légumes, baies et autres fruits, fleurs et produits laitiers dans la vallée du bas Fraser
- élevage de bovins dans les prairies du plateau intérieur
- Les industries manufacturières dépendent principalement des ressources naturelles.

Lieux et populations

- La ville la plus peuplée, Vancouver, se trouve à l'embouchure du Fraser. C'est la troisième ville du Canada en importance.
- La capitale provinciale, Victoria, est située sur l'île de Vancouver.

À signaler

- beauté et diversité de l'environnement
- Butchart Gardens à Victoria
- pont suspendu de Capilano
- totems et arts des Indiens de la côte Ouest

Sites Web

Pour en savoir plus sur la C.-B., visiter : www.hellobc.com, www.gov.bc.ca et www.travel.bc.ca; voir aussi : www.franco.ca (cliquer sur Colombie-Britannique)

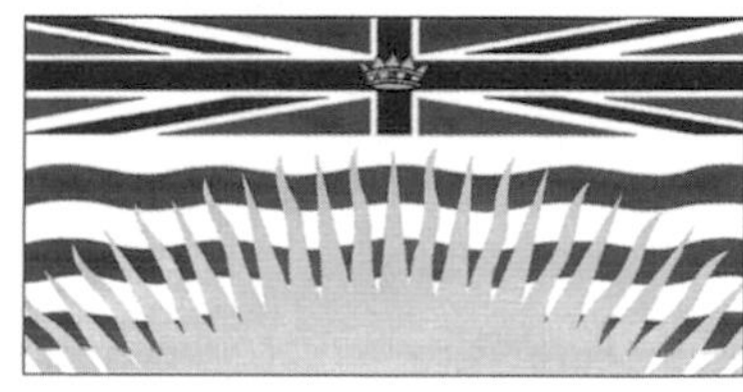

Cornouiller de Nuttall

Geai de Steller

Vancouver se trouve entre les montagnes de la Cordillère et l'étendue salée de l'océan Pacifique.

Le territoire du Yukon

Quelques faits

- 483 000 km²
- 30 600 habitants
- régions de la Cordillère et des basses-terres de l'Arctique

Surnom : *North of 60* [au 60° de latitude Nord]

Capitale : Whitehorse

Exportations : minéraux, pâtes et papiers

Importations : produits fabriqués, aliments frais et produits laitiers, blé et produits agricoles, machines

Épilobe à feuilles étroites

Grand corbeau

Environnement

- au 60° de latitude Nord, partiellement à l'intérieur du cercle polaire
- situé principalement dans la région de la Cordillère; partiellement dans les basses-terres de l'Arctique sur la côte Nord
- belle région montagneuse
- hivers longs et froids; pergélisol
- nombre limité de routes ou d'habitants
- plusieurs glaciers immenses et les plus grands champs de glace non polaire au monde
- aurores boréales ou polaires
- nombre élevé d'animaux : bison des bois et bœuf musqué; derniers troupeaux de caribous de la toundra; orignal, mouton de montagne, cerf, loup commun, ours brun, ours noir, grizzli
- en été, lieux de reproduction des oies, des cygnes, des canards et de nombreuses espèces d'oiseaux de rivage; habitat permanent du lagopède *[ptarmigan]*
- ombre de l'Arctique, grand brochet, truite arc-en-ciel et truite grise (ou touladi), corégone et saumon

Ressources naturelles

- minéraux : plomb, zinc, or, argent, cuivre, charbon

Industries et produits

- principales industries : industrie minière et tourisme
- tourisme : pêche, descente en eaux vives, randonnées pédestres, camping et canotage en pleine nature

Lieux et populations

- Whitehorse est la capitale territoriale du Yukon. C'est aussi le siège régional de la Gendarmerie royale du Canada (GRC). Elle est située sur une voie de transport importante entre le Canada et l'Alaska. Les deux-tiers des habitants du Yukon vivent à Whitehorse.

À signaler

- région de la ruée vers l'or du Klondike, il y a 100 ans
- hôte des Jeux d'hiver de l'Arctique tous les 6 ans

Sites Web

Pour en savoir plus sur le territoire du Yukon, visiter : www.gov.yk.ca et www.touryukon.com; voir aussi : www.franco.ca (cliquer sur Yukon)

Le mont Logan, dans le Parc national de Kluane, est le sommet le plus élevé du Canada.

C'est surtout la ruée vers l'or du Klondike qui a attiré les premiers Canadiens français au Yukon. **L'Aurore boréale** *est le journal des francophones du Yukon. Il a pour devise : « La voix française de la dernière frontière ».*

L'Alberta

Quelques faits

- 644 000 km²
- 3 millions d'habitants
- régions des Plaines intérieures et de la Cordillère

Surnom : *Sunny Alberta* [Alberta ensoleillée]

Capitale : Edmonton

Exportations : pétrole et gaz naturel, blé et produits agricoles, produits de la viande, pâtes et papiers, machines

Importations : produits fabriqués, produits de la mer, machines

Environnement

- reliefs très variés : montagnes, contreforts, plaines et **badlands**. Il pleut rarement dans les badlands. Mais, autrefois, l'érosion a formé des ravins profonds et étroits. On a trouvé de nombreux fossiles de dinosaures dans les badlands.
- Rocheuses et contreforts des Rocheuses le long de la frontière Ouest
- Les collines de Cyprès, dans le sud-est de l'Alberta, abritent des variétés de plantes uniques.

Ressources naturelles

- la plus grande superficie de terres agricoles ou d'élevage de toutes les provinces ou territoires du Canada
- les plus grandes réserves de gaz et de pétrole
- charbon, forêts, hydroélectricité

Industries et produits

- industrie du pétrole et du gaz naturel : principale source de revenus et d'emplois
- plastiques et autres produits fabriqués à partir du pétrole
- industrie forestière, pâtes et papiers; tourisme

Des habitants de langue française se sont établis à Edmonton dès la fin du XVIIIᵉ siècle.

Lieux et populations

- Edmonton est la capitale de la province. C'est le centre de transport du blé et de transformation de la viande; elle compte aussi de nombreuses raffineries de pétrole. C'est la cinquième ville du Canada.
- Calgary, dans le Sud de l'Alberta, est le chef de file de l'industrie canadienne du pétrole et du gaz naturel. C'est la quatrième ville du Canada.
- Calgary a accueilli les Jeux olympiques d'hiver en 1988.
- Créé en 1885, le parc national Banff se trouve dans les Rocheuses. C'est le plus ancien des parcs nationaux du Canada. Les visiteurs viennent admirer la beauté de la Nature et les nombreuses espèces animales.

À signaler

- le centre commercial du West Edmonton Mall : une patinoire aux normes de la Ligue nationale de hockey (LNH), une immense piscine avec des plages et des vagues artificielles; des spectacles de dauphins
- les courses de chariots *[chuckwagons]* du Stampede de Calgary

Sites Web

Pour en savoir plus sur l'Alberta, visiter : www.gov.ab.ca, www.discoveralberta.com et www.dinosaurvalley.com; voir aussi : www.franco.ca (cliquer sur Alberta)

Rose aciculaire

Grand-duc d'Amérique

Dans les badlands de l'Alberta, la falaise « The Hoodoos » a été formée par l'érosion d'une couche de roche dure sur une couche de roche tendre.

Les territoires du Nord-Ouest

Quelques faits

- 3,3 millions de km^2
- 41 600 habitants
- régions de la Cordillère, des Plaines intérieures, des basses-terres de l'Arctique et du Bouclier canadien

Surnom : *Land of the Midnight Sun* [Région du soleil de minuit]

Capitale : Yellowknife

Exportations : minéraux, pétrole et gaz naturel, œuvres d'art, pâtes et papiers

Importations : aliments frais et produits laitiers, produits fabriqués, machines

Dryade à feuilles entières

Environnement

- au nord du 60° de latitude Nord
- immense région de montagnes, de forêts, de toundra; des cours d'eau et des milliers de lacs aux eaux pures
- Le soleil ne se couche pas à la mi-été; il ne se lève pas à la mi-hiver.
- aurores boréales ou polaires
- Les espèces animales incluent le renard arctique, la baleine blanche, plusieurs variétés d'ours; des troupeaux de bisons, d'orignaux et de caribous.

Faucon gerfaut

Ressources naturelles

- réserves de pétrole et de gaz naturel sous la mer de Beaufort et le delta du Mackenzie
- minéraux : uranium, cuivre, or, plomb et zinc
- mines de diamants près du Lac-de-Gras, à environ 300 km au nord-est de Yellowknife

Industries et produits

- puits de pétrole
- mines d'or
- trappage ou piégeage des animaux à fourrure
- pêche commerciale : corégone, brochet, omble chevalier
- tourisme et loisirs
- arts et artisanat

Lieux et populations

- petite population dispersée sur d'immenses territoires – le long du Mackenzie, des rivières Liard et Peel, près des lacs importants et sur la côte de l'Arctique
- Yellowknife est la capitale des Territoires du Nord-Ouest. C'est un centre d'affaires, d'industries minières, de transport et de services du gouvernement. La route du Mackenzie relie Yellowknife à Edmonton, située à près de 1000 km au sud.

À signaler

- Beaucoup d'Inuits et d'Autochtones mènent des modes de vie traditionnels; ils tirent leur propre nourriture de l'environnement. Cependant, les habitations modernes et les motoneiges sont courantes. La télévision par satellite et Internet relient beaucoup de gens au reste du monde.

Sites Web

Pour en savoir plus sur les Territoires du Nord-Ouest, visiter : www.gov.nt.ca et www.nwttravel.nt.ca; voir aussi : www.franco.ca (cliquer sur Territoires du Nord-Ouest)

Le transport par avion est très important dans les Territoires du Nord-Ouest.

Comme celle du Yukon, la première communauté francophone des Territoires remonte à l'époque de la traite des fourrures. Aujourd'hui, environ 700 francophones habitent Yellowknife.

La Saskatchewan

Quelques faits

- 570 700 km^2
- 1 million d'habitants
- régions des Plaines intérieures et du Bouclier canadien

Surnom : *The Breadbasket of Canada* [le grenier du Canada]

Capitale : Regina

Exportations : céréales, graines oléagineuses (contenant de l'huile – le colza canola, par exemple), machines, pétrole, potasse, uranium

Importations : produits fabriqués, électricité, produits de la mer

Environnement

- grande étendue au relief plat au sud; la seconde région de plaines en superficie
- immense région du Bouclier canadien, faite de roches, de lacs et de forêts
- Des milliers d'oiseaux migrateurs (gibier d'eau) traversent la Saskatchewan au printemps et en automne; ils se nourrissent et se reposent dans les marais et les champs de céréales.
- hivers froids, étés chauds; faibles précipitations dans la zone des plaines; la sécheresse et la grêle menacent parfois les récoltes

Ressources naturelles

- excellentes terres agricoles pour les grandes cultures
- minéraux : production importante de potasse, de sel, d'uranium et de pétrole; cuivre, zinc et nickel, également

Industries et produits

- premier producteur de blé en Amérique du Nord
- mines et gisements de pétrole

Lieux et populations

- Regina est la capitale de la province. C'est un centre du transport par route et chemin de fer; un centre commercial et administratif.
- Saskatoon est la plus grosse ville de la province. C'est un centre de services pour l'agriculture, les mines de potasse et d'uranium du Nord de la Saskatchewan. La rivière Saskatchewan Sud partage la ville en deux. Sept ponts relient les deux moitiés de la ville.

À signaler

- Tous les membres de la Gendarmerie royale du Canada (GRC) sont formés à Regina. Le Musée de la GRC s'y trouve.

Sites Web

Pour en savoir plus sur la Saskatchewan, visiter : www.gov.sk.ca et www.sasktourism.com; voir aussi : www.franco.ca (cliquer sur Saskatchewan)

Lis de Philadelphie

Tétras à queue fine

Entre Saskatoon et Prince Albert, on trouve encore des ***localités*** *avec une forte population fransaskoise. La moitié de la population de Saint-Louis et de celle de Domrémy est francophone. D'où viennent ces noms? Trouve-les sur une carte de la province.*

La Saskatchewan est parfois appelée le « grenier du Canada ».

Le Manitoba

Anémone des prairies

Grand hibou gris

La majeure partie de la population francophone du Manitoba habite Saint-Boniface – ancienne ville et centre historique francophone qui forme maintenant un quartier de Winnipeg. On y retrouve les principales institutions franco-manitobaines : églises, écoles, hôpital, collège universitaire et communautaire, association, société historique, etc.

La plupart des graines de tournesol servent à fabriquer de l'huile végétale.

Quelques faits

- 548 000 km^2
- 1,1 million d'habitants
- régions des Plaines intérieures, du Bouclier canadien et des basses-terres de la baie d'Hudson

Surnom : *The Keystone Province* [la clef de voûte du Canada]

Capitale : Winnipeg

Exportations : blé, céréales, graines oléagineuses (contenant de l'huile – le tournesol, par exemple), minéraux, électricité, poissons, machines, pâtes et papiers

Importations : produits fabriqués, produits de la mer

Environnement

- centre géographique du Canada
- dans le Sud du Manitoba, relief plat, plaines peu élevées; la plupart des régions situées au centre et au nord font partie du Bouclier canadien.
- Les lacs et les cours d'eau importants couvrent près d'un sixième du Manitoba.
- Le lac Winnipeg est le cinquième lac du Canada en importance.
- dans l'Extrême Nord : toundra – arbres de petite taille, roche nue et marécages
- région des basses-terres de la baie d'Hudson, zones humides et quelques forêts de conifères

Ressources naturelles

- minéraux : nickel, or, argent, cuivre, zinc et plomb
- grandes centrales hydroélectriques sur le fleuve Nelson
- L'unique mine nord-américaine de tantale (métal gris, lourd et très dur) se trouve à Bernic Lake. Le tantale est utilisé dans les secteurs de la chimie; il sert à fabriquer des éléments de réacteurs nucléaires, d'avions et de missiles.
- bonnes terres agricoles

Industries et produits

- élevage : bœuf, porc et volaille
- cultures principales : blé, orge et avoine
- autres cultures : lin, pomme de terre, betterave à sucre, tournesol
- fabrication : produits laitiers et produits de viande; production d'imprimés, matières plastiques, machines agricoles, camions, autobus et autocaravanes
- centre de transport et de transformation pour les agriculteurs de l'Ouest

Lieux et populations

- Winnipeg est la capitale de la province. C'est un centre important de manutention et de transport des céréales. Le Royal Winnipeg Ballet (RWB) est une compagnie de danse célèbre au Canada et dans le monde.
- Portage la Prairie est une petite ville située au cœur des plaines céréalières. Son musée présente une reconstitution de Fort la Reine – un poste de traite français construit par La Vérendrye et ses fils, explorateurs et marchands de fourrures.

À signaler

- L'Hôtel des monnaies de Winnipeg partage avec Ottawa la production de la monnaie canadienne courante.
- Churchill est le port océanique canadien situé le plus au nord. Des touristes de partout viennent visiter « la capitale mondiale des ours polaires ».

Sites Web

Pour en savoir plus sur le Manitoba, visiter : www.gov.mb.ca et www.travelmanitoba.com; voir aussi : www.franco.ca (cliquer sur Manitoba)

Le Nunavut

Quelques faits

- 2 millions de km² (y compris les eaux territoriales)
- 27 000 habitants
- régions des basses-terres de l'Arctique, du Bouclier canadien et des basses-terres de la baie d'Hudson

Nunavut – mot qui signifie « notre terre » dans la langue inuktitut des Inuits

Capitale : Iqaluit

Exportations : minéraux, œuvres d'art

Importations : aliments frais et produits laitiers, machines, produits fabriqués

Environnement

- territoire qui inclut 7 des 12 îles principales du Canada
- les deux-tiers des côtes canadiennes
- au nord, taux de précipitation inférieur à celui de certaines parties du Sahara
- Les plantes ne peuvent pas utiliser l'eau parce qu'elle gèle presque toute l'année; elles poussent très lentement et sont de petite taille.
- Dans la toundra, aussi appelée « terre dénudée ou stérile », la végétation est très dispersée et on voit de grandes étendues de roche nue.

Ressources naturelles

- absence de terres agricoles; période de croissance très limitée; la chasse et la pêche sont les activités importantes qui permettent à la population de se nourrir.
- mines de zinc et de plomb dans la Petite île Cornwallis et l'île Baffin

Industries et produits

- mines, tourisme, pêche, chasse, trappage ou piégeage, œuvres d'art et d'artisanat

Lieux et populations

- autrefois, le Nunavut faisait partie des Territoires du Nord-Ouest. Le 1er avril 1999, il est devenu le troisième territoire du Canada.
- une des régions les moins peuplées de la Terre
- Iqaluit est la capitale et la communauté la plus importante du territoire. C'est le siège du gouvernement, le centre des affaires et du commerce.
- Il y a plus de motoneiges que d'automobiles au Nunavut; les avions servent au transport des passagers et des marchandises – des aliments, des machines et de tout ce qui est nécessaire aux régions éloignées.

À signaler

- Presque toutes les petites localités ont leur propre aéroport ou piste d'atterrissage. En 1997, il y a eu 16 176 atterrissages et décollages à l'aéroport d'Iqaluit, soit 44 par jour!

Sites Web

Pour en savoir plus sur le Nunavut, visiter : www.gov.nu.ca, www.nunatour.nt.ca et www.arctic-travel.com; voir aussi : www.franco.ca (cliquer sur le Nunavut)

En ondes depuis 1994, la station Radio Iqaluit présente une vingtaine d'heures de programmation locale chaque semaine – en français, surtout.

Iqaluit est la capitale du Nunavut, le territoire le plus récent du Canada.

Trille grandiflore

Plongeon huard

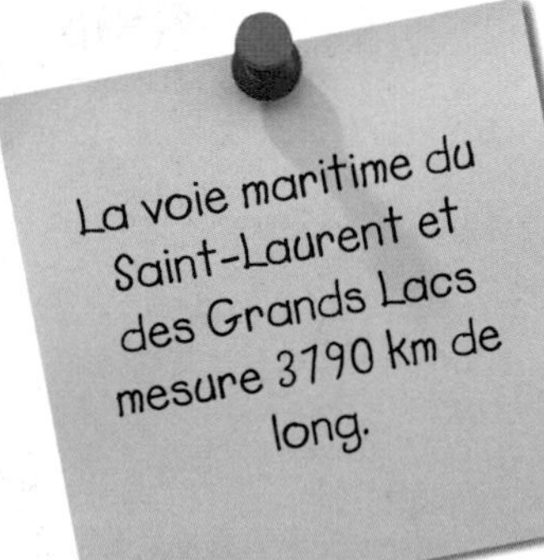

L'Ontario

Quelques faits

- 891 200 km^2
- 11,5 millions d'habitants
- régions du Bouclier canadien, des basses-terres de la baie d'Hudson et des basses-terres du Saint-Laurent

Surnom : *The Heartland of Canada* [Le cœur ou le centre du Canada]

Capitale : Toronto

Exportations : produits fabriqués, véhicules automobiles, produits laitiers et autres produits alimentaires, minéraux, bois, produits des pâtes et papiers

Importations : électricité, pétrole et gaz naturel, produits de la mer

Environnement

- Les rochers, les lacs, les cours d'eau et les forêts du Bouclier canadien couvrent près de la moitié de l'Ontario.
- Les sols pauvres et le relief irrégulier ont compliqué le peuplement et les transports dans la région du Bouclier.
- Dans les marécages et les forêts de conifères des basses-terres de la baie d'Hudson, les sols plats et mal drainés abritent de nombreuses espèces animales.
- nombreux réseaux fluviaux importants
- climat relativement doux, sols riches et fertiles dans la région des basses-terres du Saint-Laurent
- L'escarpement du Niagara est une longue paroi calcaire de 400 km entre Niagara Falls et l'île Manitoulin.

Ressources naturelles

- mines : fer, cuivre, plomb, nickel, zinc, or, argent et uranium (région du Bouclier)
- hydrocarbures : gisements de gaz naturel et de pétrole (sud-ouest de l'Ontario)
- forêts :
  - conifères (industrie des pâtes et papiers)
  - feuillus récoltés dans certaines régions (bois de construction et fabrication de meubles)
  - Le gouvernement de l'Ontario possède 88 p. 100 des forêts de la province; il distribue des permis aux compagnies forestières. Il adopte aussi des lois destinées à préserver les forêts – des ressources importantes pour les loisirs et le tourisme.
- eau :
  - Les nombreux lacs et cours d'eau servent au transport, à la production d'électricité et aux loisirs.
  - Quatre des cinq Grands Lacs se trouvent le long de la frontière Sud de l'Ontario; la voie maritime du Saint-Laurent relie le Saint-Laurent et les Grands Lacs. Cette voie navigable est la façon la plus économique de transporter les produits lourds et volumineux tels que les céréales, les minerais et le papier journal.
  - Les cours d'eau rapides sont une excellente source d'énergie hydroélectrique utilisée par la population et les industries.
  - chalets et centres touristiques établis sur la plupart des 400 000 lacs et cours d'eau de la province
- sol fertile : la petite région de plaines a attiré les pionniers et les agriculteurs; aujourd'hui, elle compte quelques-unes des villes les plus importantes de l'Ontario; on y trouve aussi des cultures de fruits et de céréales; des fermes laitières et des fermes mixtes.

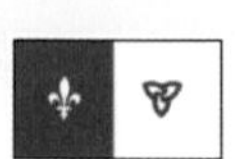

L'Ontario compte trois stations de télévision de langue française ainsi que de nombreux relais et stations de radio. La télévision de service publique, TVOntario, émet dans les deux langues.

Industries et produits

- L'Ontario est le grand centre industriel du Canada. Industries ontariennes : automobiles, matériel de transport de toutes sortes, ordinateurs, entre autres nombreux produits
- produits agricoles : aliments pour le bétail, produits laitiers, viandes, légumes, fruits
- minéraux : nickel, uranium, cuivre, or, zinc et fer (production et exportation)
- produits forestiers : pâtes et papiers, bois de construction
- L'Ontario utilise l'eau, le charbon, le pétrole et des générateurs nucléaires pour produire de l'électricité. Mais sa consommation est supérieure à sa production. Elle doit donc importer de l'électricité.
- Les services financiers et bancaires sont un secteur important.

Lieux et populations

- L'Ontario est la seconde province du Canada en superficie. Elle abrite le tiers de la population du pays.
- La population, l'agriculture et l'industrie sont concentrées dans une toute petite région, dans les basses-terres du Saint-Laurent. Plus de 5 millions de personnes vivent autour de l'extrémité ouest du lac Ontario.
- Ottawa est notre capitale nationale.
- Toronto est la ville la plus peuplée du Canada. En 1998, six municipalités se sont associées pour former une « mégapole ». La région de Toronto a une population de 4 680 000 habitants.
- Il y a d'importantes industries manufacturières dans de nombreuses villes du Sud-est ontarien. Les produits sont vendus à l'extérieur de la région.

Sur des centaines de kilomètres, les voies ferrées traversent le Bouclier canadien pour relier le Centre et l'Ouest du Canada.

- D'autres villes telles que Sault Ste. Marie et Thunder Bay vivent surtout du transport et des services qu'elles fournissent aux secteurs des mines et des forêts, et aux populations des régions environnantes.

À signaler

- La rue Yonge est la principale artère du centre-ville de Toronto. C'est la rue la plus longue du monde.

Sites Web

Pour en savoir plus sur l'Ontario, visiter : www.gov.on.ca, www.escarpment.org, www.ontariotravel.net et www.tourism.gov.on.ca; voir aussi : www.franco.ca (cliquer sur Ontario)

La Loi sur les services en français – appelée la Loi 8 – a permis de désigner 23 régions ontariennes où le gouvernement provincial doit servir un(e) francophone dans sa langue si la personne le demande. Cette loi a également fait naître l'Office des Affaires francophones.

Lieu célèbre de Toronto (Ontario), la tour CN est une des structures autoportantes les plus hautes du monde.

La lecture des cartes : les frontières

Les **frontières** ou limites territoriales sont des lignes naturelles ou artificielles qui servent à indiquer les limites d'un territoire sur le globe, les atlas et les cartes routières. Quand elles séparent deux pays, on parle de **limites** ou de frontières internationales.

Les limites ou frontières servent aussi à séparer les régions politiques à l'intérieur d'un pays. Au Canada, on parle de limites ou de **frontières provinciales** et **territoriales**. Elles montrent l'étendue ou la surface d'une province ou d'un territoire par rapport aux régions voisines.

La province de l'Ontario est divisée en districts au nord et en comtés au sud. Les limites **municipales** déterminent les régions qui ont un gouvernement local – les différentes localités et les villes.

Les cartes détaillées montrent les localités et les villes. Elles sont représentées par des symboles différents, en fonction de leur importance. La légende des cartes explique les signes utilisés.

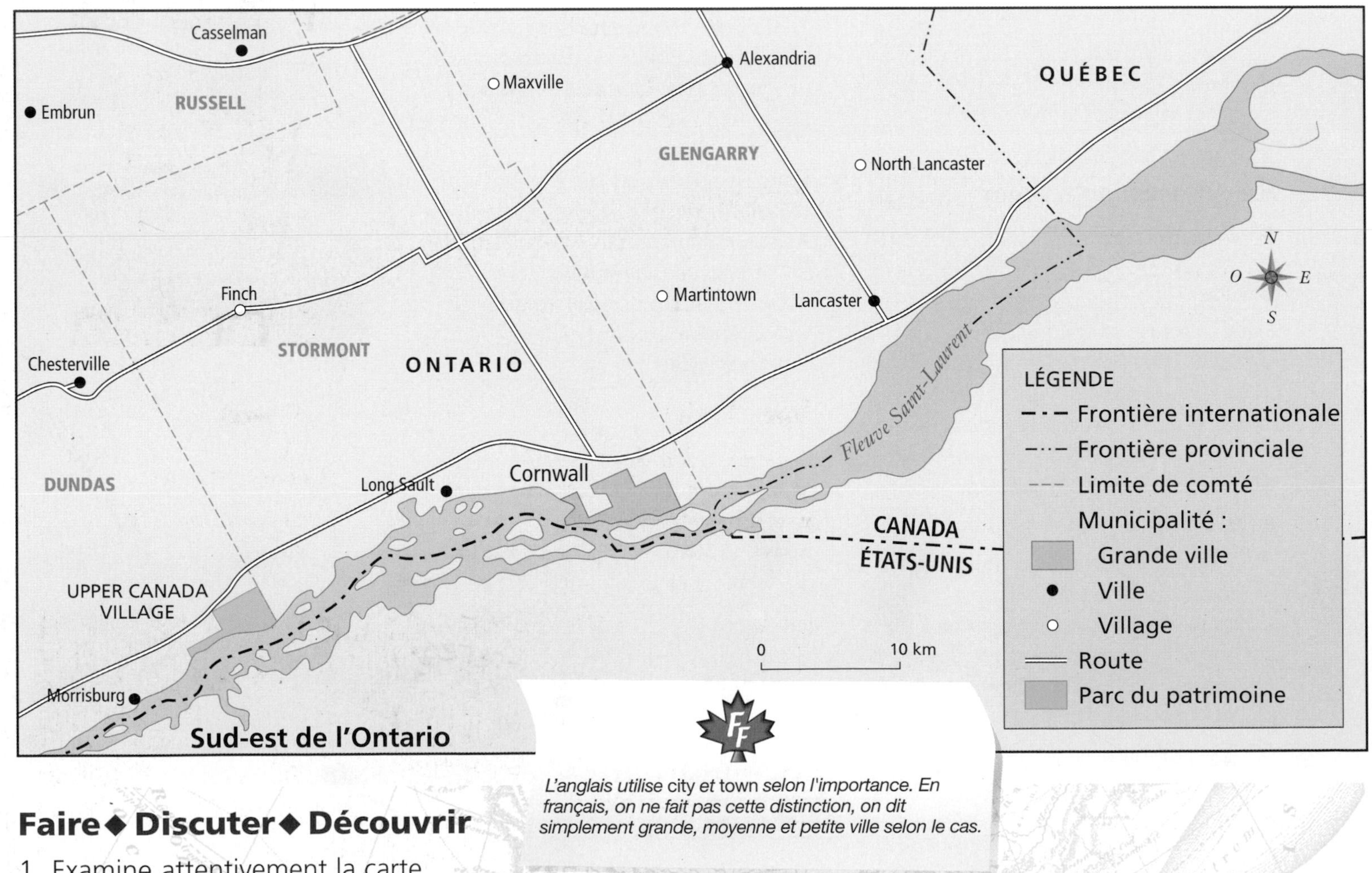

L'anglais utilise city *et* town *selon l'importance. En français, on ne fait pas cette distinction, on dit simplement grande, moyenne et petite ville selon le cas.*

Faire ◆ Discuter ◆ Découvrir

1. Examine attentivement la carte ci-dessus.
   a) Identifie les symboles qui servent à indiquer les limites des pays, des provinces et des comtés. Donne des exemples dans ton cahier.
   b) Définis les symboles utilisés et trouve des exemples de villages, de petites villes et de grandes villes.

Le Québec

Quelques faits

- 1,4 million de km²
- 7,3 millions d'habitants
- régions du Bouclier canadien, des basses-terres de la baie d'Hudson, des basses-terres du Saint-Laurent et des Appalaches

Surnom : La belle province

Capitale : Québec

Exportations : machines, pâtes et papiers, minéraux, produits agricoles et alimentaires, électricité, produits fabriqués, vêtements et textiles

Importations : produits fabriqués, pétrole et gaz naturel, blé

Environnement

- quatre régions physiques : petite partie des basses-terres de la baie d'Hudson; majorité de la superficie dans le Bouclier canadien; petites portions dans les basses-terres du Saint-Laurent et les Appalaches

Ressources naturelles

- produits forestiers : pâtes et papiers
- hydroélectricité : le long du Saint-Laurent, des rivières Saguenay, Saint-Maurice et La Grande
- minéraux exploités : amiante, or, fer, cuivre, argent, zinc et plomb, entre autres

Industries et produits

- L'agriculture, l'industrie et le commerce sont concentrés le long du Saint-Laurent.
- Les industries manufacturières représentent le principal secteur de la belle province (près du tiers des produits canadiens sont fabriqués au Québec).
- vêtements et textiles, produits alimentaires; produits fabriqués à partir du papier, des métaux et du bois
- électricité exportée en Ontario, au Nouveau-Brunswick et au nord-est des États-Unis

Lieux et populations

- Le Québec est la plus grande des provinces canadiennes. Le français est la langue officielle du Québec. C'est la langue maternelle de la majorité de la population.
- La population est concentrée dans la région des basses-terres du Saint-Laurent. On y trouve la plupart des grandes villes du Québec.
- Montréal est la plus grosse ville du Québec. Beaucoup de compagnies ont établi leur siège ou bureau principal à Montréal. C'est un centre d'affaires et un centre culturel important. La ville a accueilli l'Exposition universelle de 1967 (Expo 67) et les Jeux olympiques d'été de 1976.
- La ville de Québec est la capitale de la province de Québec. Remarquable par son caractère historique, Québec est aussi la sixième ville du Canada en importance.

À signaler

- En 1985, Québec est devenue la première ville nord-américaine à être inscrite sur la liste des sites du patrimoine mondial des Nations Unies.

Sites Web

Pour en savoir plus sur le Québec, visiter : www.tourisme.gouv.qc.ca et www.quebecregion.com; voir aussi : www.franco.ca (cliquer sur Québec).

Pour en savoir plus sur Québec et sur les douze autres sites canadiens du patrimoine de l'UNESCO, jette un coup d'œil au site de Parcs Canada (http://parkscanada.pch.gc.ca/unesco/intro/Cwhs_f.htm)

Lis blanc de jardin

Harfang des neiges

La ville de Québec est le principal centre de la culture française et le siège du seul gouvernement francophone d'Amérique du Nord.

Le Bonhomme Carnaval et le concours de sculpture sur glace sont deux éléments importants du Carnaval de Québec.

Terre-Neuve

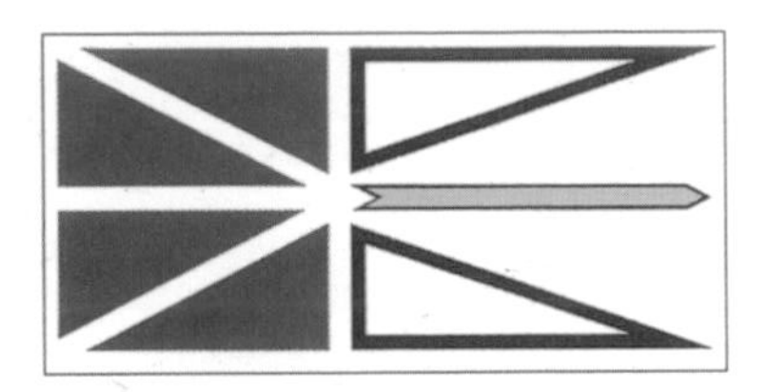

Quelques faits

- 371 700 km²
- 541 000 habitants
- régions du Bouclier canadien, des basses-terres du Saint-Laurent et des Appalaches

Surnom : *The Rock* [le Rocher]

Capitale : St. John's

Exportations : poissons et produits de la mer, pétrole, minéraux

Importations : aliments frais, produits fabriqués, machines

Sarracénie pourpre

Environnement

- province située le plus à l'est du Canada
- deux parties : au nord, la partie continentale, le Labrador; au sud, l'île de Terre-Neuve
- falaises escarpées, chaînes de montagnes, lacs et cours d'eau; 17 000 km de côtes au relief accidenté
- Le Labrador se trouve presque entièrement dans la région du Bouclier canadien (une petite partie de la côte Sud est dans les basses-terres du Saint-Laurent).
- L'île de Terre-Neuve fait partie de la région des Appalaches.
- plateau continental et Grands Bancs au large des côtes de Terre-Neuve
- hivers froids; tempêtes fréquentes

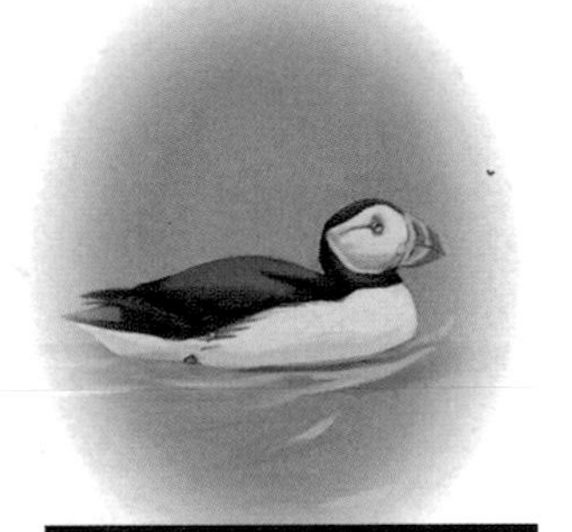

Macareux moine

Ressources naturelles

- Grands Bancs : une des zones de pêche les plus importantes du monde; stocks de poissons en déclin
- exploitation du pétrole en mer [offshore] : champ de pétrole d'Hibernia sur les Grands Bancs
- minéraux : or, fer, nickel, cuivre, plomb et zinc, entre autres
- mines d'uranium; projet de mines de nickel dans la région de la baie de Voisey (Labrador)

Industries et produits

- industries manufacturières : produits de la pêche et des forêts
- production artisanale de souvenirs destinés à l'industrie du tourisme (Terre-Neuve)

Lieux et populations

- dernière province du Canada à entrer dans la Confédération, en 1949
- capitale de Terre-Neuve : St. John's – port situé près des grandes routes maritimes de l'Atlantique Nord et des champs de pétrole en mer d'Hibernia; la ville la plus ancienne d'Amérique du Nord

À signaler

- En 1901, l'inventeur italien Guglielmo Marconi a reçu le premier message radio transatlantique dans la tour Cabot.

Sites Web

Pour en savoir plus sur Terre-Neuve, visiter : www.gov.nf.ca et www.public.gov.nf.ca/tourism; voir aussi : www.franco.ca (cliquer sur Terre-Neuve)

La côte de Terre-Neuve était fréquentée par les pêcheurs basques et français depuis au moins la fin du XVe siècle. La communauté francophone de Terre-Neuve est l'une des plus anciennes : elle remonte aux pêcheries françaises du XVIe siècle. En 1535-1536, Jacques Cartier a démontré que Terre-Neuve est une île en passant par les détroits de Cabot et de Belle-Isle.

La tour Cabot (lieu historique national de Signal Hill) porte le nom de l'explorateur italien qui est arrivé à Terre-Neuve il y a plus de 400 ans.

Le savais-tu?
Terre-Neuve est la seule province dont le nom est toujours utilisé sans article en français.

Le Nouveau-Brunswick

Quelques faits

- 72 000 km^2
- 756 600 habitants
- région des Appalaches

Surnom : La province aux mille panoramas *[The Picture Province]*

Capitale : Fredericton

Exportations : minéraux, pâtes et papiers, produits laitiers et autres produits alimentaires, arbres de Noël

Importations : produits fabriqués, hydroélectricité, blé, produits alimentaires, produits forestiers

Environnement

- golfe du Saint-Laurent : le long de la côte Est; la baie de Fundy : entre le Nouveau-Brunswick et la Nouvelle-Écosse
- plusieurs cours d'eau importants – le plus long étant le fleuve Saint-Jean
- excellents ports naturels et forêts étendues qui ont favorisé la construction des navires en bois autrefois (aujourd'hui les bateaux sont en acier)
- côtes au relief intéressant, sculpté par les marées et les courants marins; régions touristiques
- Les marées de la baie de Fundy sont les plus fortes au monde.

Ressources naturelles

- zinc, plomb, potasse, antimoine et tourbe
- forêts

Industries et produits

- industrie minière, industrie forestière, pâtes et papiers, pêche
- produits alimentaires, textiles; produits forestiers; métalliques, chimiques et minéraux
- aquaculture : saumon, truite, huîtres et moules
- services de transport et services portuaires
- secteurs nouveaux : logiciels et produits technologiques

Lieux et populations

- Un tiers des habitants sont francophones – ils parlent français ou ils ont des ancêtres français.
- Moncton est souvent présentée comme « le coeur des Maritimes » parce qu'elle est traversée par les nombreuses voies ferrées qui desservent les Maritimes.
- Située sur le fleuve Saint-Jean, Fredericton est la capitale provinciale, un centre important du gouvernement et de l'éducation.
- Fredericton est le siège de l'École de gardes-forestiers des Maritimes, qui assure la formation des techniciens en sciences forestières.
- Saint John est la ville la plus importante du Nouveau-Brunswick. C'est là que se trouve la plus grande raffinerie du Canada.

Violette cucullée

Mésange à tête noire

À signaler

- Les chutes réversibles de la baie de Fundy sont une des merveilles du monde; les marées montent à contrecourant du fleuve et inversent la direction des rapides. Le fleuve coule alors dans le sens contraire.

Sites Web

Pour en savoir plus sur le Nouveau-Brunswick, visiter : www.gnb.ca et www.travel.org/newbruns.html; voir aussi : www.franco.ca (cliquer sur Nouveau-Brunswick)

Le savais-tu?
Aujourd'hui, le Nouveau-Brunswick est la seule province officiellement bilingue du Canada.

Au parc provincial « The Rocks » à Hopewell Cape, ces rochers couverts de végétation – les « pots de fleurs » – ont été créés par l'océan.

La Nouvelle-Écosse

Fleur de mai

Balbuzard pêcheur

En 1605, c'est en Nouvelle-Écosse que de Monts et Champlain ont fondé la première colonie agricole française sur le territoire qui deviendra le Canada.

Quelques faits

- 55 500 km^2
- 940 000 habitants
- région des Appalaches

Surnom : *Canada's Ocean Playground.* Les publications touristiques la décrivent comme le « Paradis maritime du Canada ».

Capitale : Halifax

Exportations : produits laitiers et autres produits alimentaires; produits fabriqués (ex. pneus), bois de construction, arbres de Noël, poissons et crustacés

Importations : machines, produits fabriqués

Environnement

- **péninsule** – terre baignée par l'océan sur trois côtés et rattachée au Nouveau-Brunswick par une bande étroite
- côte accidentée, caractérisée par près de 4000 îles et affleurements rocheux
- Île du Cap-Breton reliée à la partie continentale de la Nouvelle-Écosse par la chaussée de Canso
- lieu de passage de nombreux oiseaux migrateurs – à mi-chemin entre l'équateur et le pôle Nord
- habitat des baleines à proximité des côtes, où les eaux sont riches en nourriture (zooplancton, crevettes et poissons)

Ressources naturelles

- forêts de conifères et de feuillus
- mines de charbon (le charbon sert à alimenter les générateurs qui fournissent la plupart de l'électricité de la province)
- hydroélectricité
- pêches côtières et en haute mer
- Halifax : port en eau profonde, libre de glaces
- centrale marémotrice d'Annapolis (qui utilise la force des marées pour fabriquer de l'électricité)
- champs de pétrole en mer; projet d'exploration près de l'île de Sable

Industries et produits

- élevage de vaches laitières et de volailles; produits laitiers et autres produits alimentaires
- cultures de fruits – pommes, bleuets et raisins
- pêche et construction de bateaux : industries importantes dans l'histoire de la province
- pâtes et papiers
- bois de feuillus (pour la fabrication de meubles)
- aquaculture : saumon, homard, clams et bar
- tourisme : industrie importante

Lieux et populations

- La plupart des habitants vivent près des côtes – dans de petits ports ou des localités abritées dans des anses ou des baies.
- Halifax est la capitale de la province. Elle a joué un rôle historique important. Aujourd'hui, c'est un port international qui possède une industrie du transport moderne et dynamique.

À signaler

- Dans la baie de Fundy, l'amplitude des marées peut atteindre 16,5 m en 6 heures – la hauteur d'un édifice de cinq étages, environ. Dans la localité de Bear River, tous les bâtiments sont construits sur **pilotis**.

Sites Web

Pour en savoir plus sur la Nouvelle-Écosse, visiter : www.gov.ns.ca/playground et http://explore.gov.ns.ca; voir aussi : www.franco.ca (cliquer sur Nouvelle-Écosse)

Le Vieux-Lunenburg est sur la liste des sites du patrimoine mondial (voir le site Web mentionné à la page 107). On y trouve des édifices historiques qui datent de plus de trois siècles et un port magnifique.

L'Île-du-Prince-Édouard

Quelques faits

- 5660 km^2
- 138 000 habitants
- régions des Appalaches

Surnom : *Garden of the Gulf* [jardin du Golfe]; aussi appelée la « ferme d'un million d'hectares », le « berceau de la Confédération » ou encore « l'Île aux Patates »

Capitale : Charlottetown

Exportations : produits agricoles, poissons, mousse d'Irlande ou carragaheen (algues)

Importations : électricité, produits fabriqués

Environnement

- la plus petite province du Canada (croissant de 224 km de long, dont la largeur varie de 4 à 60 km)
- réserves très limitées d'eau douce
- le plus haut sommet de l'île : colline de 142 m au centre du comté de Queens (colline de Glen Valley)
- plages de sable blanc du côté nord de l'île
- affleurements de grès rouge d'environ 6 m de haut du côté sud

Ressources naturelles

- disparition des forêts primaires de l'Île; culture des arbres sur des « lots boisés » (établis pour la production du bois)
- bonnes terres et climat doux favorables à l'industrie agricole
- pas d'énergie hydroélectrique (l'électricité est importée de Nouvelle-Écosse à l'aide d'un câble sous-marin)
- poissons, homards et crustacés
- récolte de mousse d'Irlande (algues)

Industries et produits

- élevage et cultures
- culture dominante : la pomme de terre
- industries principales : produits agricoles et poissons
- autre secteur important : le tourisme

Lieux et populations

- Charlottetown est la capitale provinciale et la ville la plus peuplée de l'Île. En 1864, la Conférence de Charlottetown a amorcé le processus de la Confédération ou la naissance du Canada en tant que nation. C'est pourquoi Charlottetown est appelée le « berceau de la Confédération ». Elle attire de nombreux touristes.

À signaler

- Le Centre des arts de la Confédération abrite un théâtre, un musée, une galerie d'art et une bibliothèque. Chaque année, il accueille le Festival d'été de Charlottetown et présente une comédie musicale adaptée du roman de l'auteure locale Lucy Maud Montgomery : *Anne, la maison aux pignons verts*.

Sabot de la vierge

Sites Web

Pour en savoir plus sur l'Île-du-Prince-Édouard, visiter : www.gov.pe.ca et www.peisland.com; voir aussi : www.franco.ca (cliquer sur Île-du-Prince-Édouard)

Geai bleu

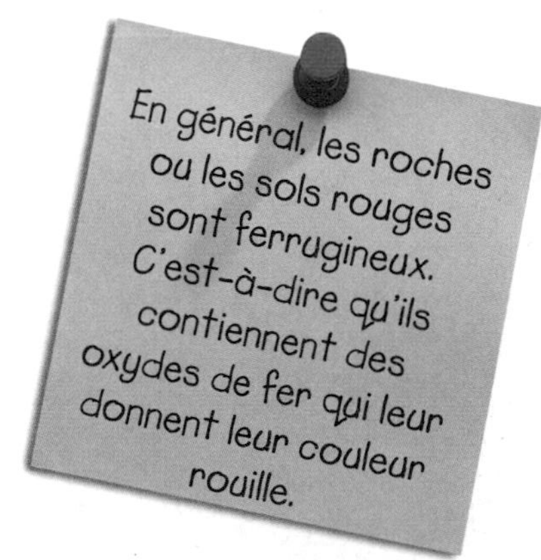

En 1534, Jacques Cartier a dit de l'Île-du-Prince-Édouard : c'est « la terre la plus belle que l'on puisse imaginer ». La présence des Acadiens, au centre-est de l'Île, remonte au XVIIIe siècle.

Cultivés dans le sol rouge de l'Île-du-Prince-Édouard, les champs de pommes de terre ont donné à cette région le nom de Jardin du golfe.

Chapitre 9

Compréhension des concepts

1. Après les exposés de groupe sur les provinces et les territoires, associe-toi à un-e partenaire pour préparer un tableau comparatif sur deux provinces ou territoire. (Conseil pratique : compare la province ou le territoire que tu as choisi pour le projet du Canada et une autre province ou un autre territoire. Tu trouveras des exemples de comparaisons à la page 12.)
2. Relève les termes de ce chapitre que tu ajouteras dans la partie Vocabulaire de ton cahier. Fais des diagrammes ou des petits dessins qui t'aideront à retenir les mots et leurs définitions.
3. Crée un test d'orthographe pour un-e partenaire. Inclus les noms de quelques provinces, territoires et capitales. Chaque élève fera le test préparé par son ou sa partenaire.

Habiletés de recherche et de communication

4. Crée une affiche pour encourager les touristes à visiter un lieu intéressant à Ottawa ou dans une autre province ou territoire. N'oublie pas d'indiquer une photo, un slogan, une adresse et des prix, si nécessaire.

Habiletés de lecture et de création des cartes/globes

5. a) Utilise un atlas et ce que tu sais sur les grilles pour indiquer la latitude et la longitude du lieu où tu habites. Relève ta réponse dans ton cahier.

   b) Situe et indique où tu habites sur une carte-croquis du Canada que tu rangeras dans ton cahier.

Application des concepts et habiletés à d'autres contextes

6. Imagine que tu passes une journée à Ottawa. Tu trouves un kiosque sur le sentier des Castors. Rédige le récit de ta journée. Illustre-le.
7. En petits groupes, utilisez le plan de la visite guidée d'Ottawa et créez de nouvelles questions pour un autre groupe. Faites référence à la grille pour rédiger vos indices correctement.

Projet sur le Canada

Faites une recherche et créez une fiche (comme une carte de baseball) décrivant la capitale ou une autre ville de votre province ou territoire. N'oubliez pas de coller une photo au recto de la carte.

Projet sur le Canada

Maintenant, tous les groupes doivent collaborer pour créer la maquette représentant le relief du Canada. Suivez les étapes suivantes.

Étape 1

- Au sein de votre petit groupe, tracez le contour de votre province ou territoire sur du gros carton blanc. Utilisez un rétroprojecteur pour agrandir et dessiner votre partie de la carte du Canada. Au départ, tous les groupes utiliseront la même carte – pour que les provinces et les territoires soient à la même échelle et pour que les éléments de la carte finale puissent être assemblés sans problème!
- Au crayon papier, dessinez les principaux cours d'eau et reliefs; indiquez les grandes villes sur la carte de votre province. Consultez la carte topographique de la page 7 (ou un atlas) pour déterminer la position, la forme et l'altitude des formes de relief. Ce premier croquis et ces informations vous préparent à l'étape suivante.
- Découpez soigneusement le contour de votre province ou territoire.

Étape 2

- Collectivement (toute la classe), créez une longue feuille à l'aide de boîtes de carton recyclées et aplaties. Elle formera la base de votre maquette finale. Assemblez les boîtes aplaties avec du ruban adhésif; ajoutez du ruban supplémentaire pour consolider les joints.
- Placez votre province ou territoire sur la feuille de carton (ne la collez pas). Vérifiez les provinces ou territoires voisins pour vous assurer que les cours d'eau et les éléments qui traversent les frontières se suivent correctement. Corrigez vos croquis et vos notes, si nécessaire.

À suivre

Ne collez pas encore votre province ou territoire sur la base de carton. Vous aurez l'occasion d'ajouter des informations supplémentaires plus tard.

Étape 3

- Utilisez de la pâte à modeler ou de l'argile pour créer une carte en relief de votre province ou territoire. Consultez vos notes et vos croquis pour ajouter les formes du relief et les masses d'eau. Vérifiez les provinces ou territoires voisins pour vous assurer que l'altitude des terres qui traversent les frontières est représentée correctement. Il faut assurer la continuité des paysages.
- Laissez sécher votre carte en relief; puis, peignez-la.
- Ajoutez des étiquettes pour indiquer les reliefs, les masses d'eau, les villes et les autres éléments importants.

Chapitre 10

Le gouvernement provincial

Partout au Canada, nous avons élu des personnes qui nous représentent au sein des divers gouvernements. Elles ont été choisies pour parler et travailler en notre nom et pour nous.

Les électeurs sont les personnes qui ont le droit de voter. Les élections permettent aux électeurs de choisir leurs représentants. Plusieurs candidats se présentent dans chaque circonscription – c'est-à-dire les localités ou zones territoriales qui ont chacune un député à l'assemblée. Les candidates et candidats élus deviennent le gouvernement.

Il y a trois ordres ou paliers de gouvernement au Canada : fédéral, provincial/territorial et municipal.

Le gouvernement fédéral est le gouvernement du Canada. Des représentants élus de chaque province et territoire participent au gouvernement fédéral.

Les gouvernements provinciaux et territoriaux sont élus par les électeurs de leurs régions respectives. Ils s'occupent des services tels que les soins de santé, les hôpitaux et l'éducation.

Les gouvernements municipaux (aussi appelés « administrations municipales » ou « municipalités ») gèrent les villes ou les villages. Ils sont responsables des services locaux de la police, des pompiers, des parcs et des piscines.

Le chapitre 10 est consacré aux gouvernements des provinces ou territoires. Il examine les services que ce palier de gouvernement fournit à sa population.

À retenir!

Sujets traités au chapitre 10 :
- structure du gouvernement provincial
- élections des gouvernements provinciaux/territoriaux
- services fournis par les gouvernements provinciaux

Vocabulaire

élection
candidat
circonscription
conseil exécutif
assemblée législative
ordre judiciaire (tribunaux)
premier ministre
ministre (du Cabinet)
lieutenant-gouverneur
honorifique
parti politique
commissaire
vote par anticipation
scrutin ou vote secret

Structure du gouvernement provincial

Chaque gouvernement provincial est composé d'un **conseil exécutif**, d'une **assemblée législative** et d'un **ordre judiciaire** (les tribunaux).

Conseil exécutif

- aussi appelé le Cabinet
- composé du **premier ministre** (le chef du gouvernement) et de ses ministres
- Les **ministres (du Cabinet)** sont choisis parmi les députés élus.
- Le Conseil exécutif présente de nouvelles lois ou modifie les lois en vigueur.

Assemblée législative

- ensemble de tous les candidats élus dans leurs circonscriptions
- examine et adopte les projets de loi
- également appelée la « Chambre »

Ordre judiciaire

- ensemble des tribunaux et des juges
- protège les droits des citoyens
- interprète et applique les lois

Parfois, les premiers ministres des provinces se réunissent pour parler de certains problèmes. Voici Messieurs Harris et Klein, premiers ministres de l'Ontario et de l'Alberta, respectivement.

L'Assemblée législative de l'Ontario compte 103 députés. Pour en savoir plus, visite son site officiel en français (www.ontla.on.ca/french/index.htm)!

Chaque gouvernement provincial a également un lieutenant-gouverneur. Cette fonction est une tradition qui date de l'époque où le Canada était une colonie britannique. Le **lieutenant-gouverneur** (la lieutenante-gouverneure) est « le représentant de Sa Majesté ». En fait, il (elle) porte un titre **honorifique**. Il (elle) assiste à de nombreuses cérémonies, mais c'est le premier ministre qui dirige véritablement le gouvernement.

Les gouvernements de neuf provinces et des trois territoires sont composés des membres d'une Assemblée législative ou MAL. Mais au Québec, on parle d'« Assemblée nationale ».

En 1997, Mme Hilary Weston est devenue la lieutenante-gouverneure de l'Ontario.

Comment devenir page

Les pages transmettent les messages et livrent des documents aux députés de la Chambre. Chaque année, vingt garçons et filles de 7e et de 8e années, choisis dans toute la province, deviennent pages à l'Assemblée législative de l'Ontario. Ils doivent avoir une moyenne d'au moins 80 p. 100 et passent de trois à six semaines à Queen's Park. Pendant ce séjour, ils suivent aussi des cours pour ne pas interrompre leurs études.

Élections provinciales

Pour pouvoir voter aux élections provinciales, il faut être âgé d'au moins dix-huit ans et avoir la citoyenneté canadienne. Les élections provinciales ont lieu au moins une fois tous les cinq ans.

Les femmes n'ont pas toujours eu le droit de vote. En 1916, le Manitoba a été la première province du Canada à donner aux femmes le droit de voter aux élections provinciales.

Les vainqueurs des élections sont les candidats qui obtiennent le plus grand nombre de votes dans leur circonscription. Ils deviennent membres de l'Assemblée législative ou députés. Tous les membres élus représentent leur province en général et leur circonscription en particulier.

La plupart des candidats sont membres d'un des **partis politiques**. Un parti politique est un groupe de personnes qui ont des croyances politiques communes. Après les élections, le parti qui remporte le plus de sièges forme le gouvernement. Le chef du parti victorieux devient premier ministre.

Gouvernement territorial

Les gouvernements territoriaux ressemblent beaucoup aux gouvernements provinciaux. Chaque territoire a une assemblée législative, composée des députés élus par la population. Le chef de l'Assemblée législative est appelé le premier ministre ou le Chef du gouvernement.

Paul Okalik est le 1er premier ministre du nouveau territoire du Nunavut.

Le gouvernement fédéral désigne un **commissaire** chargé de collaborer avec le gouvernement territorial. Cette fonction est semblable à celle de lieutenant-gouverneur dans les provinces.

Voici la salle de l'Édifice de l'Assemblée législative où le gouvernement de l'Ontario se réunit pour discuter et adopter des lois.

Étapes d'une élection

1 Le gouvernement provincial recueille les noms de toutes les personnes qui ont le droit de voter.

2 Le premier ministre rencontre le lieutenant-gouverneur (la lieutenante-gouverneure) et lui demande de déclencher l'élection.

3 Chaque parti annonce ses candidats dans chaque circonscription.

4 Les candidats font campagne : ils présentent leurs idées et expliquent pourquoi les gens devraient voter pour eux.

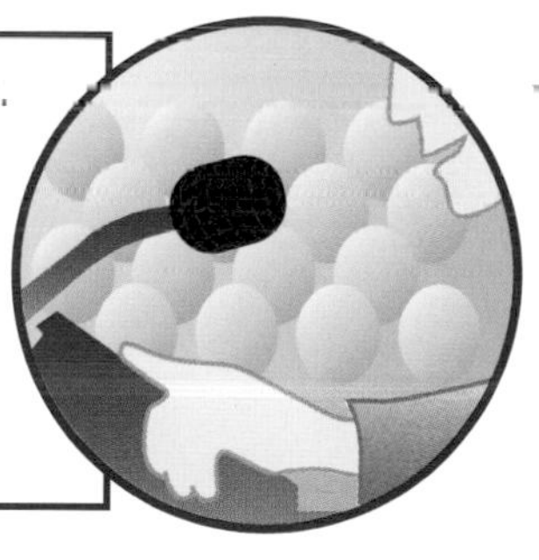

5 Les électeurs peuvent lire les journaux, écouter la radio, regarder la télévision et assister à des réunions pour s'informer sur les grandes questions et mieux choisir leurs candidats.

6 Quand une personne ne peut pas voter le jour de l'élection, elle peut le faire dans un bureau de **vote par anticipation.**

7 Le jour de l'élection, les électeurs se rendent à un bureau de vote. Chaque personne reçoit un bulletin de **vote secret**. Elle marque un X à côté du nom du candidat de son choix.

8 Un scrutateur [personne responsable du bureau de vote] place chaque bulletin dans l'urne.

9 Les bulletins sont comptés et les résultats sont annoncés par les médias (télévision, radio et journaux).

Faire ◆ Discuter ◆ Découvrir

1. a) Toute la classe fera un remue-méninges pour trouver différentes façons de participer à une élection.
   b) Indique deux façons qui te permettraient de participer personnellement, à ton avis. Relève-les dans ton cahier.

Services gouvernementaux

Le gouvernement provincial a de nombreuses responsabilités. Il est chargé d'aider les citoyens et citoyennes au quotidien. Le diagramme ci-dessous montre quelques-uns des services fournis par le gouvernement provincial. Dans certains secteurs tels que les soins de santé, les responsabilités et les coûts sont partagés par le gouvernement fédéral.

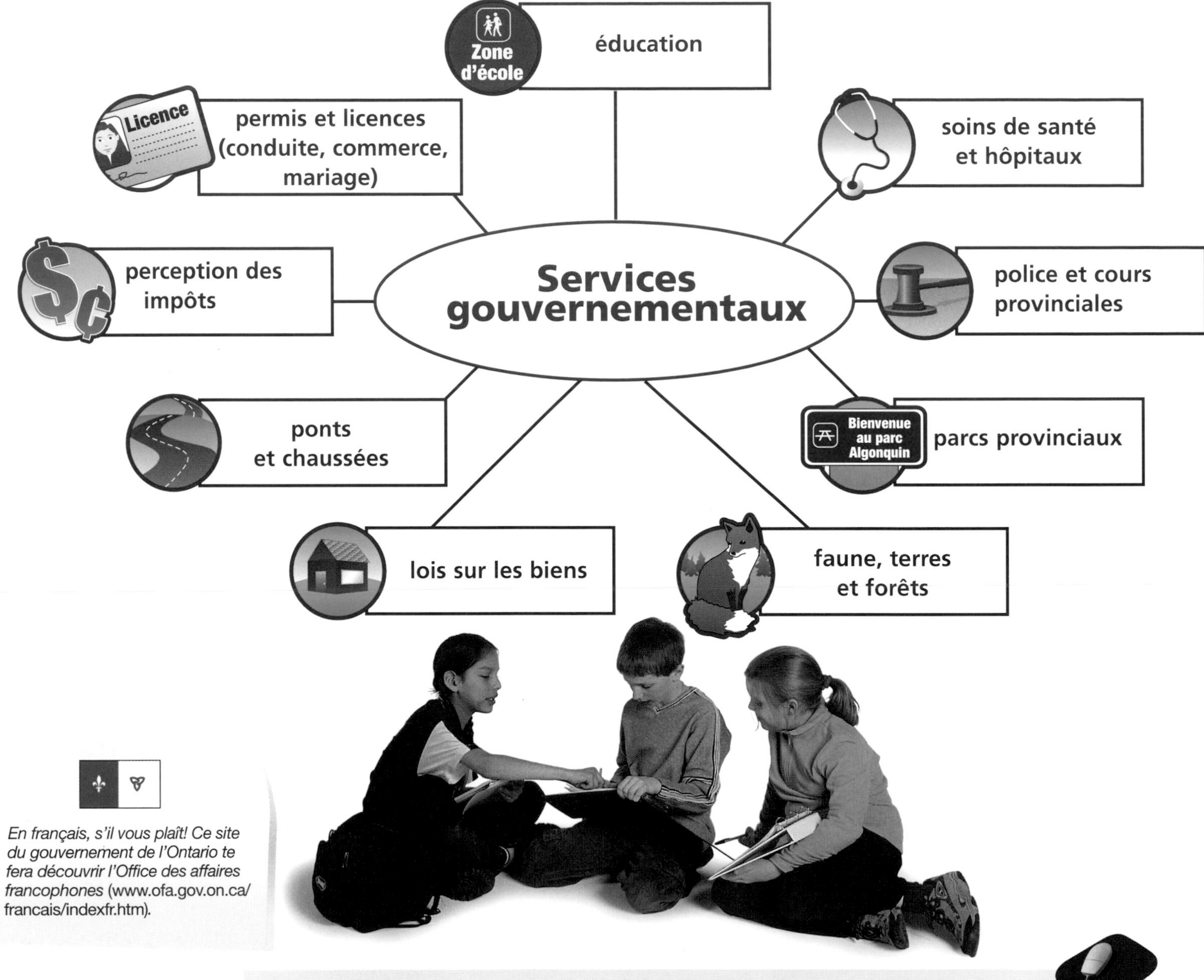

En français, s'il vous plaît! Ce site du gouvernement de l'Ontario te fera découvrir l'Office des affaires francophones (www.ofa.gov.on.ca/francais/indexfr.htm).

Pour en savoir plus sur le gouvernement de l'Ontario, accède au site http://www.gov.on.ca/MBS/french/index.html et clique sur Le coin des jeunes du premier ministre (menu de droite).

Faire ◆ Discuter ◆ Découvrir

1. Associe-toi à un-e partenaire. Trouvez quatre services gouvernementaux que vous pourriez utiliser à votre avantage. Expliquez pourquoi ces services sont importants pour vous et ce qui pourrait arriver s'ils n'existaient pas.
2. Si tu devais choisir les deux services les plus importants, lesquels garderais-tu? Rédige un paragraphe pour expliquer ton choix.

Chapitre 10

Compréhension des concepts

1. a) Relève les termes de ce chapitre que tu ajouteras dans la partie Vocabulaire de ton cahier. Fais des diagrammes ou des petits dessins qui t'aideront à retenir les mots et leurs définitions.
   b) Rédige cinq phrases « à trous » ou phrases à compléter pour le vocabulaire de ce chapitre. Échange tes phrases avec un-e partenaire.
2. a) Crée un diagramme d'organisation sur le gouvernement provincial ou territorial. D'un côté, écris tes idées sur l'importance de ce type de gouvernement. Interroge tes parents ou d'autres adultes pour connaître leurs opinions à ce sujet. Relève leurs idées de l'autre côté.
   b) Résume les informations que tu as recueillies en trois ou quatre phrases. Inclus-les dans ton diagramme.

Habiletés de recherche et de communication

3. Rédige trois questions que tu aimerais poser à ton député (ta députée) si tu avais l'occasion de le (la) rencontrer.

Habiletés de lecture et de création des cartes/globes

4. Fais une recherche pour savoir quel parti politique forme le gouvernement de chaque province ou territoire. Sur une carte-croquis du Canada, colorie chaque province selon le parti au pouvoir. (N'oublie pas d'inclure une légende.)

Application des concepts et habiletés à d'autres contextes

5. Trouve un article de journal sur le gouvernement provincial. Sous forme de liste, prends des notes sur le sujet de l'article, les informations, les gens ou groupes dont il parle. Range-les dans ton cahier.

Projet sur le Canada

1. Créez une fiche sur votre province ou territoire. Indiquez ce qui suit : Qui est le premier ministre? À quel parti appartient-il? Qui est le lieutenant-gouverneur de votre province ou le commissaire de votre territoire? Comment appelle-t-on l'Assemblée législative?
2. Essayez de trouver un article et (ou) une photo sur un événement qui traite du gouvernement de votre province ou territoire.
3. Recueillez des images et créez un collage sur les services fournis par votre gouvernement provincial ou territorial.

Rangez tous ces documents dans votre album ou boîte à chaussures.

Chapitre 11
Liens

Transports

Services

Liens

Ressources et produits

Informations et idées

Nous avons vu que le Canada est un immense pays, composé de régions très différentes. C'est pourquoi les transports et la communication sont importants pour la population canadienne. Tous les jours, d'un océan à l'autre, nous entretenons des liens multiples entre nous.

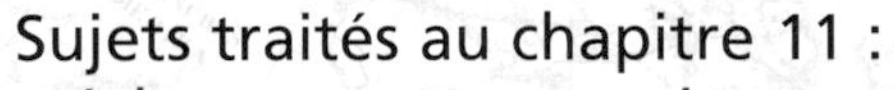

À retenir!

Sujets traités au chapitre 11 :

- échanges entre provinces et régions
- rédaction d'un paragraphe
- liens entre l'économie et l'environnement dans une province ou un territoire
- entrevue d'information
- création de cartes à l'aide de symboles représentant des produits et des ressources
- liens parmi la population canadienne
- importance de la technologie dans notre vie

Vocabulaire

transport
matière première
produits
économie
communication
innovation
services
transports en commun

Transports

Les **transports** sont les différentes façons de déplacer les gens et les marchandises d'un endroit à l'autre.

Le Canada possède près de 1 million de kilomètres de routes, 50 000 kilomètres de voies ferrées; 646 aéroports agréés; 55 traversiers *[ferries]* qui permettent à des voyageurs et à des véhicules de franchir des cours d'eau ou bras de mer.

Les transports forment un lien essentiel entre les Canadiens. Les gens et les marchandises se déplacent constamment.

« Trans » veut dire « au-delà de » et marque le passage. Trans-porter signifie donc « déplacer d'un lieu à un autre en portant ».

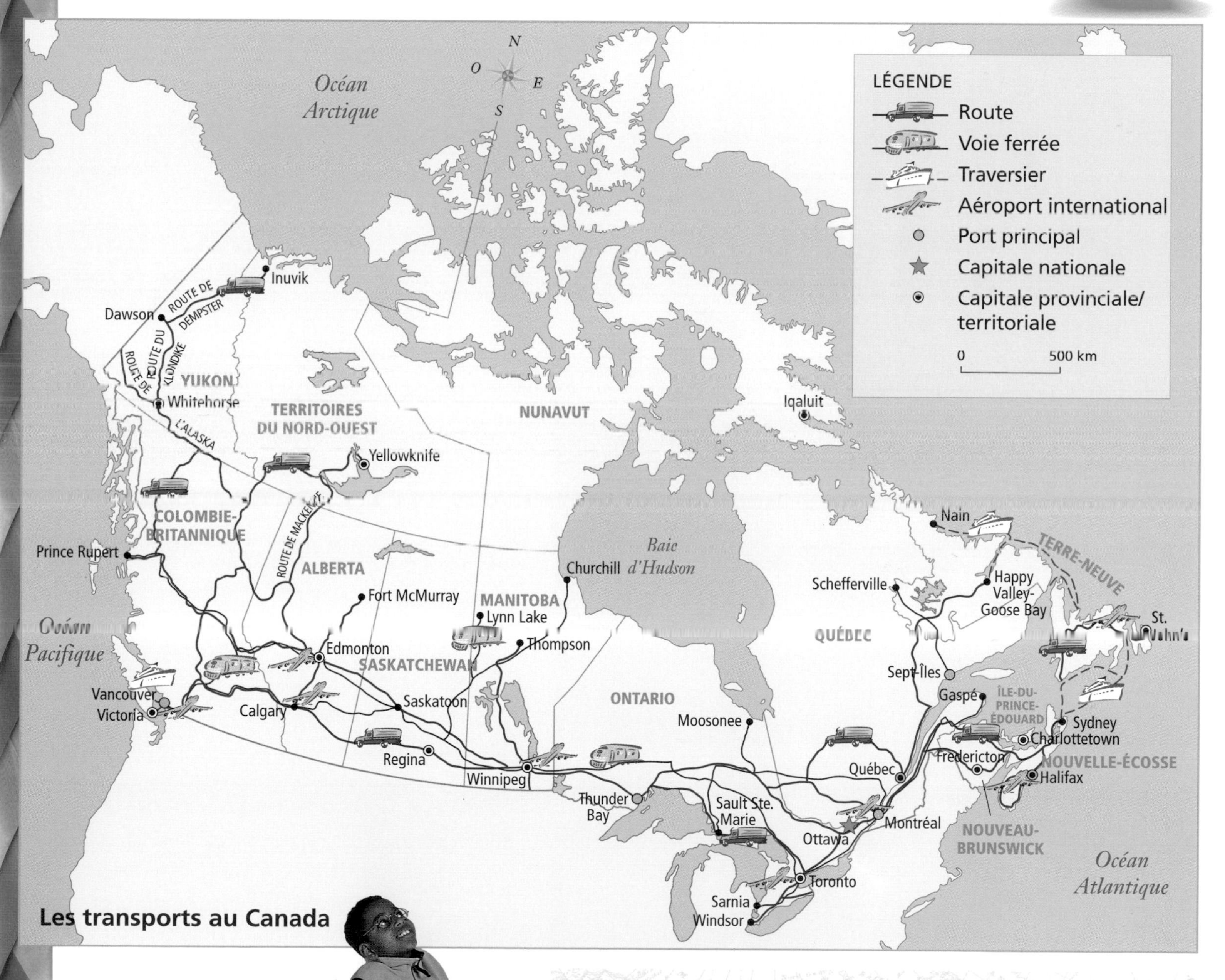

Les transports au Canada

Faire ◆ Discuter ◆ Découvrir

1. Sur une carte-croquis du Canada, à l'aide de sept couleurs différentes, trace l'itinéraire que chacun des sept élèves a probablement suivi pour atteindre Ottawa depuis sa région d'origine. Range cette carte dans ton cahier.

En route!

Les Canadiens utilisent différents moyens de transport pour déplacer les personnes et les produits. Le moyen choisi dépend des dimensions et du poids des charges, de la distance à parcourir, des obstacles à franchir et du temps dont on dispose.

Autres moyens de transport

Il faut aussi assurer le transport des informations et de l'énergie partout au Canada et dans le monde.

Méthodes utilisées :

- câbles à fibres optiques
- satellites
- ondes radioélectriques
- lignes téléphoniques
- lignes de haute tension
- pipelines

Faire ◆ Discuter ◆ Découvrir

1. a) Relisez les pages 121 et 122; en petits groupes, faites un remue-méninges pour trouver des exemples de transport terrestre, maritime et aérien. Donnez deux exemples de marchandises ou de produits transportés par chacune de ces trois méthodes.

   b) Activité collective (la classe) : partagez vos idées pour créer une seule liste des différents moyens de transport sur une grande feuille de papier. Affichez-la dans la classe.

Rédaction d'un paragraphe

Les bons paragraphes ont trois parties :

1. La première phrase présente le sujet du paragraphe.
2. Les phrases du milieu développent ce sujet.
3. La dernière phrase ajoute un commentaire intéressant sur le sujet.

La rédaction d'un paragraphe se fait en trois étapes :

1. Développe une idée sur le sujet. Par exemple, tu peux relever et organiser tous les faits pertinents que tu connais :

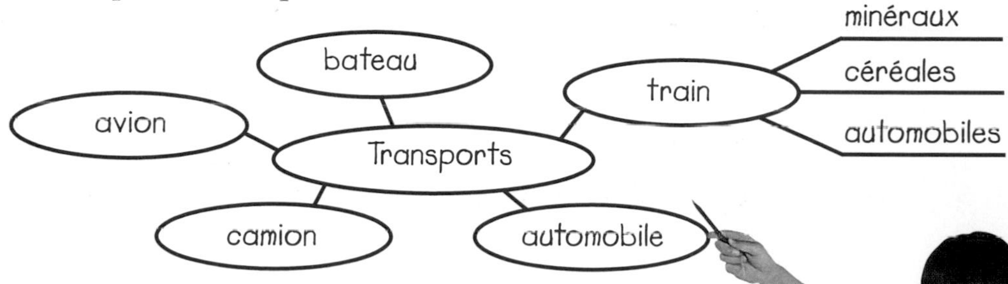

2. Prépare le plan de ton paragraphe à l'aide des informations tirées de ton diagramme.
   - Comment présenteras-tu le sujet dans la première phrase (l'introduction)?
   - Que diras-tu dans les phrases du milieu (chacune des idées du développement)?
   - Dans quel ordre vas-tu les organiser?
   - Que diras-tu dans la dernière phrase (la conclusion)?
3. Utilise le plan ci-dessus pour écrire ton paragraphe.
4. Relis ton paragraphe et corrige-le, si nécessaire. Rédige la version définitive de ton paragraphe.

Faire ◆ Discuter ◆ Découvrir

Choisis la question 1 ou 2 :

1. Consulte la carte que tu as tracée à la page 121. Choisis un des sept itinéraires. Écris un paragraphe sur le voyage que l'élève a fait pour assister à la conférence d'Ottawa. Quels moyens de transport a-t-il ou elle utilisés? Dans quel ordre?
2. Rédige un paragraphe sur un de tes voyages et les moyens de transport que tu as utilisés. Décris ta destination et mentionne un détail intéressant ou amusant sur ce que tu as fait.

De la récolte à la vente

On utilise beaucoup les transports entre la récolte des ressources, la transformation des **matières premières** et la vente des produits finis. Par exemple :

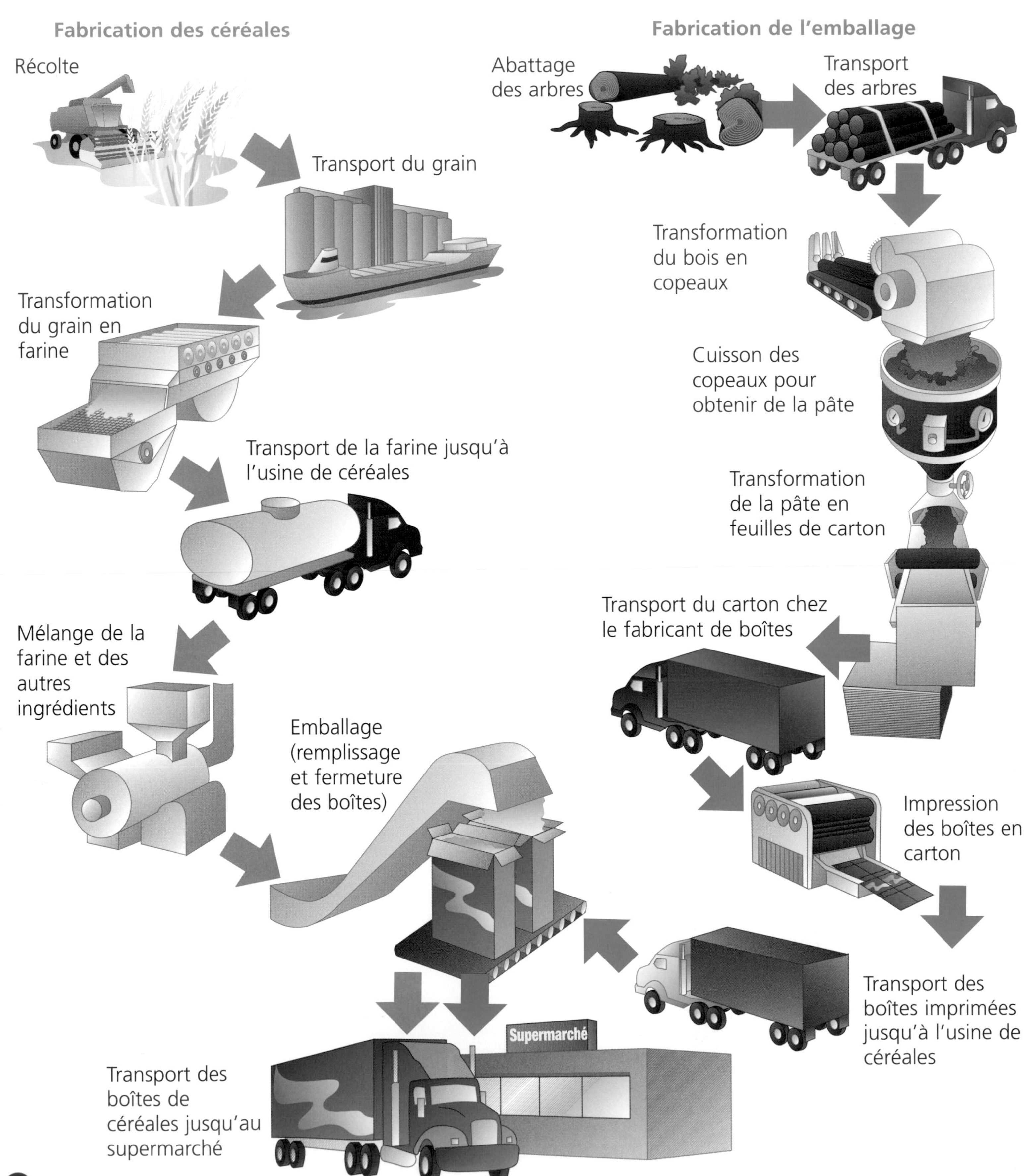

Ressources et produits

Les industries manufacturières transforment les matières premières en produits finis. Certaines industries font une première transformation des matières premières. Par exemple, les fonderies fondent le minerai pour extraire le métal qu'il contient.

D'autres industries transforment certains matériaux traités en **produits** finis. Par exemple, il faut de nombreux matériaux pour fabriquer une automobile : du métal, du plastique, du caoutchouc, du verre et différentes pièces.

Les photos de cette page représentent divers secteurs d'activités : l'industrie alimentaire, l'industrie du vêtement, l'industrie automobile et l'industrie de pointe (matériel informatique).

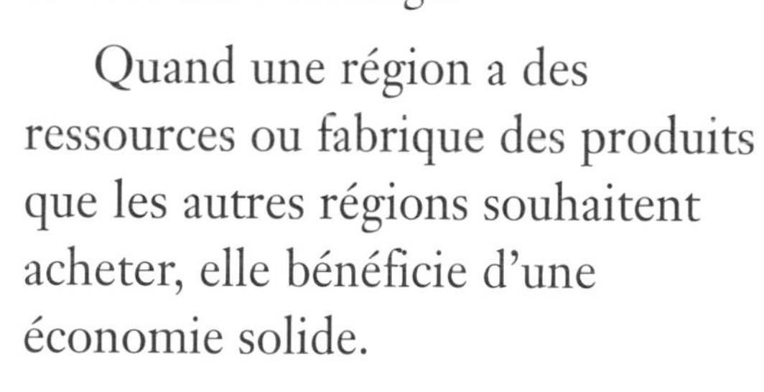

Les provinces et les territoires du Canada achètent et vendent des ressources et des produits au Canada et à l'étranger. L'**économie** est fondée sur l'échange.

Quand une région a des ressources ou fabrique des produits que les autres régions souhaitent acheter, elle bénéficie d'une économie solide.

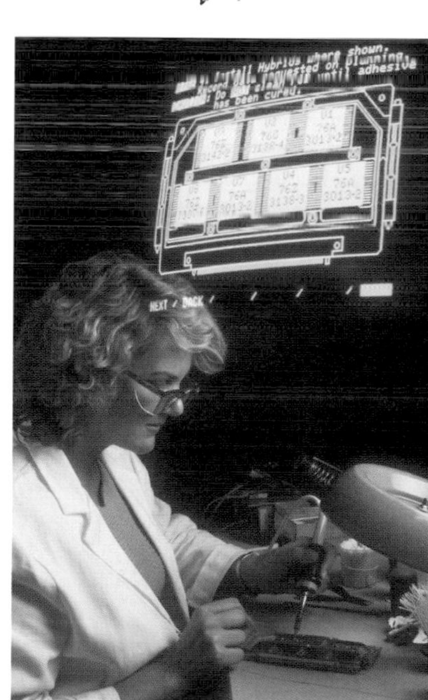

Faire ◆ Discuter ◆ Découvrir

1. En groupes de trois, faites un remue-méninges pour trouver le plus grand nombre possible d'exemples d'industries. Partagez vos exemples avec un autre groupe et apportez les changements ou corrections nécessaires. Rangez ces listes dans vos cahiers.

Jour de magasinage

Produits alimentaires

Autres produits

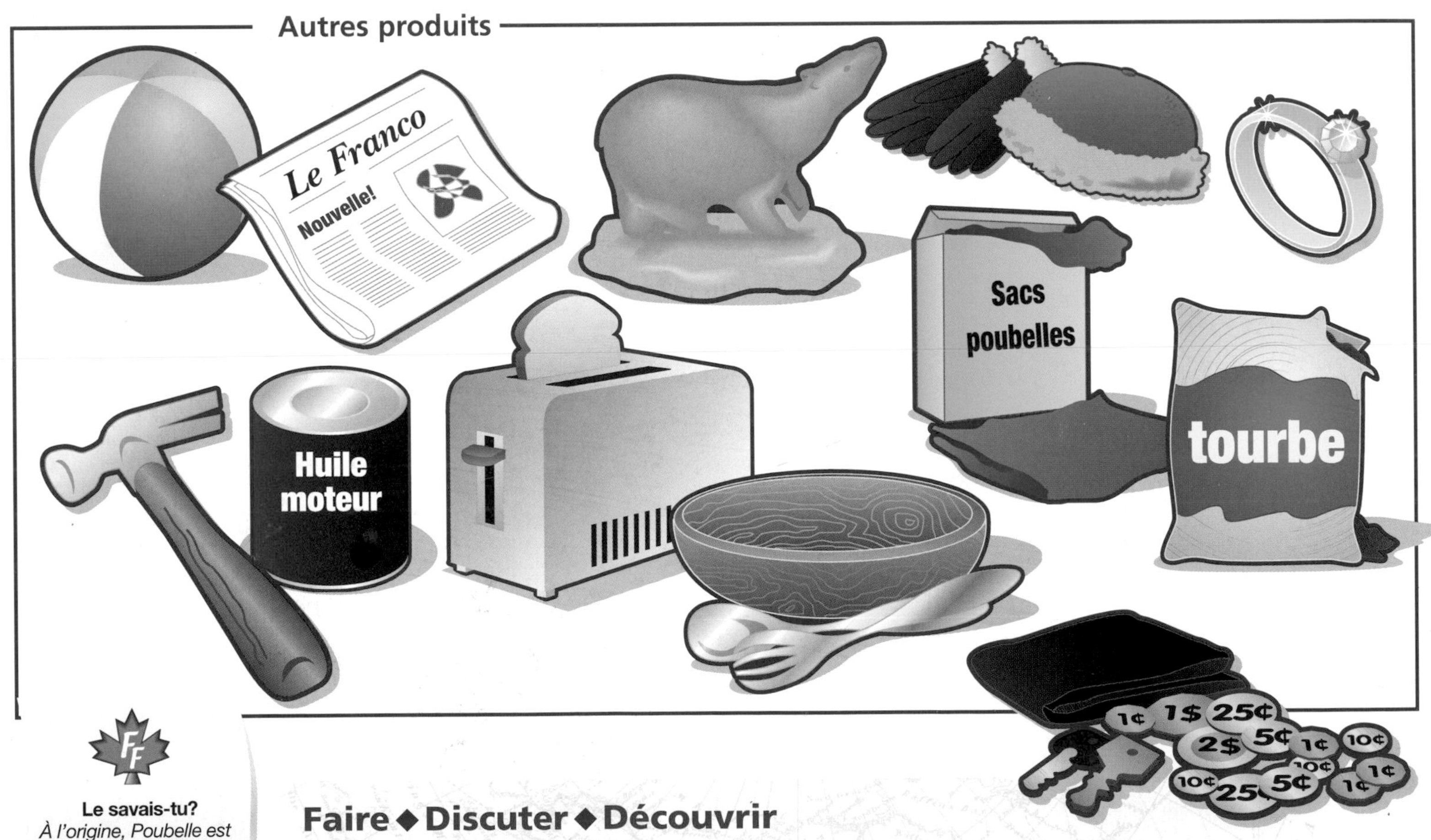

Le savais-tu?
À l'origine, Poubelle est le nom d'un Français qui a imposé l'usage de la boîte à ordures en 1884.

Faire ◆ Discuter ◆ Découvrir

1. En groupes de trois, choisissez quatre des produits ci-dessus. Réfléchissez aux questions suivantes; rédigez des notes individuelles et recopiez-les dans vos cahiers.
   a) À votre avis, dans quelles régions du Canada trouve-t-on les produits ci-dessus? N'oubliez pas que certains produits contiennent plusieurs éléments ou ingrédients. D'où viennent ces différents éléments?
   b) Identifiez l'emballage de chaque produit. D'où vient cet emballage?
   c) Il faut consommer de l'énergie pour fabriquer et transporter tous ces produits. Quel type d'énergie a-t-on utilisé? Quelle est son origine?

Entrevue

Une entrevue est une conversation qui permet d'obtenir des informations. On peut écrire ou enregistrer les réponses de la personne interrogée – avec sa permission. Voici quelques consignes à suivre :

- Réfléchis à ton sujet et à ce que tu aimerais savoir. Les questions qui permettent d'obtenir des informations utiles commencent souvent par *qui*, *qu'est-ce qui*, *où*, *quand*, *comment* et *pourquoi*.
- C'est toi qui conduis l'entrevue. Choisis une personne qui connaît ton sujet à fond. Si tu sais peu de choses sur la personne interrogée ou le sujet, fais des recherches avant de commencer.
- Écris les questions que tu souhaites poser sur une feuille de papier. Laisse beaucoup d'espace entre les questions pour pouvoir prendre des notes rapides sur les réponses.
- Consulte un-e adulte (parent, enseignant-e) pour fixer l'heure et le lieu de l'entrevue. Explique le but de l'entrevue à la personne interrogée. En plus de prendre des notes, tu aimerais peut-être enregistrer l'entrevue – à condition d'en avoir la permission.
- Relève les réponses à tes questions. Si la personne interrogée donne des réponses incomplètes, pose d'autres questions pour obtenir les informations nécessaires.
- À la fin de l'entrevue, remercie la personne. À l'aide de tes notes, rédige immédiatement les réponses à tes questions pour ne rien oublier.
- Rédige l'entrevue sous la forme de dialogue :
  Question : « Vous aimez ce que vous faites? »
  Réponse : « Oui, mais c'est un travail difficile et les journées sont longues. »
- Donne le texte de l'entrevue à la personne interrogée. Elle souhaitera sans doute lire ses réponses à tes questions. Cette étape lui donnera aussi l'occasion de corriger les erreurs possibles ou d'ajouter des détails supplémentaires.

Informations et idées

Les gens établissent aussi des liens en échangeant des informations et des idées. C'est ce qu'on appelle la **communication**. Il y a de nombreuses façons d'échanger des idées et d'avoir des liens avec les autres.

La radio, la télévision, le cinéma servent à partager les informations, les idées et les loisirs. La télévision nous fait entendre les voix et nous montre les visages de nombreux Canadiens.

Les magazines et les journaux nationaux nous tiennent au courant des actualités.

Les équipes sportives telles que les Toronto Raptors voyagent partout au Canada et dans le monde pour disputer des matchs. On peut y assister en personne ou devant un écran de télévision.

Les musiciens et les chanteurs font des disques distribués partout au Canada. Les artistes de renommée tels que Shania Twain sont les ambassadeurs du Canada à l'étranger.

De nombreux écrivains ont contribué à faire connaître le Canada. Cette maison est le décor d'« Anne... la maison aux pignons verts », l'œuvre célèbre de Lucy Maud Montgomery.

Les artistes communiquent aussi par le biais des arts visuels – la peinture, le dessin, la sculpture et des techniques mixtes.

Des écoles prestigieuses telles que l'École nationale de ballet (Toronto) accueillent des élèves de partout au Canada.

Les athlètes canadiens participent à des compétitions au Canada et à l'étranger. Des champions tels que le médaillé d'or Daniel Igali représentent le Canada aux Jeux olympiques.

Internet et le courrier électronique sont deux nouveaux moyens de partager des idées et des informations à l'échelle de la planète.

Faire ◆ Discuter ◆ Découvrir

1. Relis la page 127 au sujet de l'entrevue. Interroge un de tes parents ou un autre adulte.
   - Quel métier font-ils?
   - Quels sont deux moyens de communication qu'ils utilisent au travail?
   - Est-ce que ces moyens de communication facilitent leur travail? Si oui, comment?
   - Quelles sont les principales informations ou idées qu'ils communiquent à d'autres Canadiens?

   Partage tes réponses avec un-e autre élève et mets-les dans ton cahier.
2. Toute la classe devra créer une grande affiche appelée *Communiquer au Canada*. Chaque élève apportera l'image d'une personne ou d'un événement, à titre d'exemple. Vous afficherez ce projet dans votre classe.

Inventions, découvertes et innovations

Une invention est une idée ou un objet tout à fait nouveau. Une découverte fait connaître ce qui existe mais qui restait caché ou ignoré. Une **innovation** est le résultat d'une invention ou d'une découverte : c'est un produit ou procédé nouveau que le consommateur peut obtenir.

Certains Canadiens sont célèbres parce qu'ils ont inventé ou découvert quelque chose qui améliore notre vie. D'autres inventeurs sont moins connus, mais leurs innovations sont largement utilisées et appréciées.

Joseph-Armand Bombardier a inventé la motoneige. Dans le nord du Canada, la motoneige a largement remplacé le traîneau à chiens.

Les Canadiens Frederick Banting et Charles Best ont découvert le rôle de l'insuline dans le traitement du diabète. Ils ont reçu le prix Nobel de médecine en 1923.

La Station spatiale internationale utilise le Canadarm pour effectuer ses travaux de construction et de réparation.

À l'aide d'un ballon et de deux paniers de pêche, James Naismith a inventé un jeu pour distraire ses étudiants. C'est l'origine du basket-ball.

Faire ◆ Discuter ◆ Découvrir

1. a) En petits groupes, discutez pour expliquer l'importance de chaque découverte ou invention ci-dessus.
   b) Crée un tableau pour présenter le problème initial et sa solution. En quelques phrases, explique comment chaque invention, découverte ou innovation a transformé la vie des personnes qui l'utilisent. Range ce tableau dans ton cahier.

Services

Les **services** sont des activités fournies par des personnes qui répondent à des besoins en offrant leur savoir, leurs compétences ou un matériel particulier. Il y a toutes sortes de services.

Toutes les communautés ne peuvent pas répondre tout le temps à tous les besoins de leur population. Certains services sont requis de temps en temps seulement. Souvent, ils sont fournis à partir d'une autre communauté ou région. C'est une façon d'établir des liens entre les gens.

Les fournisseurs d'accès Internet et les ambulances appartiennent à l'industrie des services.

La plupart des banques canadiennes ont des succursales partout au Canada. Elles apportent une aide financière aux entrepreneurs et aux citoyens ordinaires.

À intervalles réguliers, les habitants des communautés éloignées reçoivent la visite de médecins ou d'infirmières. En cas d'urgence, les médecins – ou les malades – doivent se déplacer par avion.

Partout au pays, les agents de la Gendarmerie royale du Canada (GRC) font respecter les lois qui protègent notre population.

Les industries éloignées des villes ont parfois besoin de services spécialisés. Les inspecteurs voyagent d'un pipeline à l'autre pour s'assurer que les règles de sécurité sont respectées.

Les transports publics (ou transports en commun) sont tous les véhicules qui servent au transport collectif des personnes. Grâce au personnel des avions, des autobus, des trains et des traversiers, nous pouvons voyager partout au Canada.

Beaucoup de gens travaillent dans le secteur du tourisme. Ils assurent notre confort et notre sécurité. Grâce à eux, nous pouvons passer des vacances agréables. Ce jeune visiteur est accueilli par un employé à l'Exposition nationale canadienne.

Parfois, il y a des catastrophes qui touchent beaucoup de gens et qui causent de gros dégâts dans une communauté. Il arrive que les Forces canadiennes interviennent pour porter secours.

Faire ◆ Discuter ◆ Découvrir

1. a) Discussion de classe : comment les services contribuent-ils à créer des liens entre les Canadiens?
   b) Promène-toi dans ton quartier. Renseigne-toi sur les services offerts dans ta communauté. Discutes-en avec tes camarades de classe; ensuite, écris deux ou trois paragraphes sur votre discussion. Range-les dans ton cahier.

Chapitre 11

Compréhension des concepts

1. Relève les termes de ce chapitre que tu ajouteras dans la partie Vocabulaire de ton cahier. Fais des diagrammes ou des petits dessins qui t'aideront à retenir les mots et leurs définitions.
2. Donne un exemple de liens entre plusieurs provinces et (ou) territoires dans les catégories suivantes : transports, ressources et produits, informations et idées, et services.
3. Le Canada est un immense pays, qui a un relief varié, de nombreux lacs et cours d'eau. Sous forme de liste, explique comment ces caractéristiques ont compliqué le développement des services, les communications et le transport des marchandises.

Habiletés de lecture et de création des cartes/globes

4. Associe-toi à un-e partenaire. Dessinez le plan de votre quartier. Indiquez les services que vous avez trouvés (ex. médecin, dentiste, bureau de poste, banque, hôpital, avocat, plombier, poste de police). N'oubliez pas d'utiliser des symboles, des couleurs et une légende pour indiquer les routes et les lieux.

Application des concepts et habiletés à d'autres contextes

5. Sous forme de paragraphes, établis et explique comment quatre des inventions ci-dessous ont contribué à améliorer la vie de la population canadienne.

motoneige	sac poubelle	aliments congelés
souffleuse (à neige)	la crosse	insuline
pomme McIntosh	chasse-neige	fermeture à glissière
Pablum	téléphone	basket-ball

Projet sur le Canada

Chaque groupe continuera à travailler à la maquette du Canada que vous avez commencée à la fin du chapitre 9.

Étape 1

- Au sein de votre petit groupe, identifiez les principaux produits et ressources naturelles de votre province ou territoire. Consultez la carte que vous avez créée tout au long des chapitres 2 à 8.
- Créez un symbole pour chaque produit et ressource. Fixez ces symboles sur votre province ou territoire.

Étape 2

- À l'aide d'un crayon papier, tracez les principales voies de transport (voies ferrées, routes, pipelines) de votre province ou territoire. Consultez la carte de la page 112, au besoin. Vérifiez les provinces ou territoires voisins pour vous assurer que ces voies traversent les frontières correctement. Corrigez les tracés, si nécessaire.
- Utilisez des feutres de couleurs différentes pour repasser sur le tracé des principales voies de transport de votre province ou territoire. Collaborez avec les autres groupes pour adopter un seul système de couleurs pour les différents types de voies.

Dernière main au projet du Canada

La maquette en relief

- Collaborez au moment où chaque groupe fixe soigneusement la maquette de sa province ou son territoire sur la base de carton pour créer la maquette du Canada.
- Identifiez trois ressources ou produits que votre province ou territoire exporte ailleurs au Canada.
- Utilisez des rubans ou des ficelles de couleurs différentes pour montrer ces échanges. Vous tendrez ces rubans on ficelles pour relier trois symboles de votre province ou territoire et les provinces ou territoires qui les importent. Attachez les rubans ou ficelles sur la maquette avec des épingles ou de la colle.

Questions générales

- Quelle est l'importance de votre province ou territoire par rapport à l'ensemble du Canada?
- Quelle est l'importance du reste du Canada par rapport à votre province ou territoire?
- Qu'est-ce qui distingue votre province ou territoire?

Faisons le point sur nos liens

1. Chaque groupe présentera sa province ou son territoire à la classe. N'oubliez pas d'inclure ce qui suit :
   a) Présentez votre province ou territoire de façon intéressante ou amusante – sous forme d'annonce télévisée, de poème, de mime, de sketch, de chanson ou de spectacle de marionnettes, par exemple. Faites participer tous les membres du groupe.
   b) Présentez votre album ou boîte à chaussures. Montrez le contenu en expliquant chaque objet. Chaque membre du groupe devra participer – à la création et à la présentation. N'oubliez pas de faire référence à la maquette au cours de votre exposé.

2. Du chapitre 2 au chapitre 8, vous avez discuté des préoccupations que les sept élèves ont présentées au sujet de leurs régions. Maintenant, chaque groupe présentera un problème important pour sa province ou son territoire. Si votre province ou territoire appartient à plusieurs régions, choisissez un seul problème.

   a) Suivez les consignes suivantes :
      - Définissez clairement le problème.
      - Créez un slogan qui attirera l'attention du public sur le problème.
      - Quelles solutions ou actions pouvez-vous suggérer?
      - Comment les gens des différentes régions peuvent-ils s'entraider?

   b) Invitez les élèves de la classe à poser des questions. Répondez à toutes les questions le mieux possible.

Partagez le travail que vous avez fait et amusez-vous bien!

Glossaire

A

adaptation *(f)* : fait de s'habituer, caractéristique qui aide à survivre. Par exemple, en hiver, la fourrure du lièvre arctique devient blanche. Cette caractéristique le rend difficile à voir sur la neige et le protège de ses ennemis. *ADAPTATION*

affleurement *(m)* : roche qui apparaît à la surface du sol ou de l'eau. *OUTCROP*

affluent *(m)* : cours d'eau qui se jette dans un autre. *TRIBUTARY*

altitude *(f)* : hauteur mesurée à partir du niveau de la mer – en mètres, le plus souvent. *ELEVATION*

amplitude *(f)* **de la marée** : différence de niveau entre la marée haute et la marée basse. *TIDAL RANGE*

aquaculture *(f)* : activité économique semblable à l'agriculture, qui consiste à faire la culture de plantes ou l'élevage d'animaux qui vivent dans l'eau. *AQUACULTURE*

Assemblée *(f)* **législative** : partie du gouvernement provincial qui examine et qui adopte les projets de loi. L'Assemblée législative est l'ensemble de tous les députés (c.-à-d. les candidats élus aux élections). *LEGISLATIVE ASSEMBLY*

aval *(m)* : le côté vers lequel descend un cours d'eau. *DOWNSTREAM*

B

badlands *(m, pl.)* : type de terrain sans végétation, où l'érosion a formé des réseaux de ravins étroits et des formes bizarres – comme dans le sud-est de l'Alberta, par exemple. *BADLANDS*

bois *(m)* **[de] résineux** : bois qui vient des conifères (c.-à-d. des arbres qui produisent de la résine). *SOFTWOOD*

C

caduque : qui perd ses feuilles chaque année. *DECIDUOUS*

canal *(m)* : voie d'eau artificielle qui sert au transport ou à l'irrigation. *CANAL*

candidat *(m)*, **candidate** *(f)* : personne qui se présente à une élection. *CANDIDATE*

capitale *(f)* : ville où se réunit le gouvernement d'un pays, d'une province ou d'un territoire. *CAPITAL CITY*

carnivore : qui mange de la viande. *CARNIVORE*

carte *(f)* : dessin ou représentation qui montre la surface de la Terre vue d'en haut. *MAP*

carte *(f)* **topographique** : carte qui représente le relief d'un lieu à l'aide de couleurs et (ou) de symboles. *RELIEF MAP*

cartographe *(f ou m)* : personne qui établit et dessine les cartes géographiques. *CARTOGRAPHER*

chalutier *(m)* : gros bateau qui attrape de grandes quantités de poissons au chalut (filet en forme de poche qu'on traîne sur le fond des océans ou entre deux eaux). *TRAWLER*

circonscription *(f)* : localité ou zone territoriale qui a le droit d'élire un député à l'Assemblée législative (provinces/territoires) ou à la Chambre des communes (gouvernement fédéral). *CONSTITUENCY, RIDING*

climat *(m)* : le temps (températures et précipitations) qu'il fait habituellement dans un pays ou une région. *CLIMATE*

commercial : lié au commerce – à la vente de produits et de services. *COMMERCIAL*

commissaire *(m ou f)* : personne qui représente le gouvernement fédéral au sein d'un gouvernement territorial. *COMMISSIONER*

communication *(f)* : échange d'informations et d'idées entre plusieurs personnes. *COMMUNICATION*

conifère *(m)* : arbre (aussi appelé « persistant » ou « arbre à feuilles persistantes ») qui porte des aiguilles et des cônes. *CONIFEROUS*

Conseil *(m)* **exécutif** : partie du gouvernement provincial qui inclut le premier ministre et le Cabinet. Le Conseil exécutif propose les projets de loi. *EXECUTIVE COUNCIL*

conservation ou **préservation** *(f)* **de l'environnement** : ensemble de comportements qui assure la protection de notre environnement. *CONSERVATION*

contrefort *(m)* : chaîne de montagnes moins élevée qui borde une chaîne principale. *FOOTHILL*

coup *(m)* **de vent** : violente tempête. *GALE*

coupe *(f)* **transversale** : représentation d'un lieu vu par tranche et de côté. *CROSS-SECTION*

courant *(m)* **marin** : mouvement de masses d'eau au sein des mers ou des océans. *OCEAN CURRENT*

critère *(m)* : caractéristique qui sert à comparer ou à juger. *CRITERION*

D

delta *(m)* : embouchure d'un fleuve en forme de triangle, qui se divise en plusieurs bras. *DELTA*

diagramme *(m)* : représentation graphique qui permet d'organiser ou de montrer des données numériques (chiffres). *GRAPH OU DIAGRAM*

diagramme *(m)* **à barres** : représentation graphique qui permet d'organiser ou de montrer les données numériques à l'aide de barres ou de colonnes; les unités sont mesurées sur un des deux axes. *BAR GRAPH*

diagramme *(m)* **à images** : représentation graphique qui permet d'organiser ou de montrer les données numériques à l'aide d'images ou de symboles. *PICTURE GRAPH*

dormant : qui attend ou qui dort, sans aucune activité. *DORMANT*

dragueur *(m)* : navire qui pêche au chalut. Les chalutiers modernes sont à vapeur ou à moteur. *TRAWLER*

E

écluse *(f)* : partie d'un cours d'eau munie d'un système de portes qui permet la navigation entre deux plans de niveau différent. *LOCK*

économie *(f)* : les richesses et les ressources d'une région, d'un pays. *ECONOMY*

écotourisme *(m)* : forme de tourisme qui privilégie les expériences liées à la nature (ex. l'observation de baleines) et qui aide les gens à apprécier et à comprendre les ressources naturelles et leur conservation. *ECO-TOURISM*

élection *(f)* : processus qui permet aux électeurs de choisir leurs représentants. *Election*

embouchure *(f)* : endroit où un cours d'eau se jette dans la mer ou dans un lac. *Mouth*

environnement *(m)* : notre milieu – l'air, le sol et l'eau qui nous entourent. *Environment*

époque *(f)* ou **période** *(f)* **glaciaire** : période où les glaciers se sont développés sur la Terre. *Ice Age*

érosion *(f)* : usure de la surface de la Terre provoquée par les forces naturelles : l'écoulement des eaux, le gel, le vent, etc. *Erosion*

escarpement *(m)* : pente raide, naturelle ou artificielle, qui délimite deux reliefs importants ou des zones horizontales. *Escarpment*

estuaire *(m)* : embouchure vaste et profonde d'un fleuve sur la mer, qui subit l'effet des marées. *Estuary*

F

fédéral : qui concerne le gouvernement central d'un pays. *Federal*

fertile : qui produit beaucoup de végétation; qui fournit des récoltes abondantes. *Fertile*

feuillu : bois dur tiré des arbres qui portent des feuilles (ex. chêne, érable). *Hardwood*

frontière *(f)* : ligne qui sert à déterminer les limites d'une région politique – un pays, une province ou un territoire. *Boundary*

G

géographe *(f ou m)* : spécialiste de la géographie – science qui étudie et décrit la superficie de la Terre; les phénomènes physiques et humains, et leurs relations réciproques, dans les différentes parties du monde. *Geographer*

glacier *(m)* : grand champ de glace en montagne, formé par l'accumulation de couches de neige. *Glacier*

gouvernement *(m)* : ensemble des personnes qui font les lois et les appliquent pour les citoyens d'un pays, d'une province ou d'une ville. *Government*

gouvernement *(m)* **fédéral** ou **administration** *(f)* **fédérale** : gouvernement central d'un pays. *Federal government*

graminées *(f, pl.)* : végétation des plaines. *Grasses*

Grands *(m, pl.)* **Bancs** [de Terre-Neuve] : région du plateau continental, riche en poissons, située au sud-est de Terre-Neuve. *Grand Banks*

grille *(f)* ou **quadrillage** *(m)* : division d'une surface par des lignes droites croisées formant des carrés et qui sert à situer un lieu sur une carte; lignes de latitude et de longitude. *Grid*

H

habitat *(m)* : endroit où une espèce d'animaux ou de plantes vit naturellement. *Habitat*

hémisphère *(m)* : chacune des deux moitiés du globe terrestre. *Hemisphere*

herbivore : qui se nourrit seulement d'herbe ou de feuilles. *Herbivore*

honorifique : qui sert à honorer quelqu'un; prestigieux, mais sans pouvoir réel. *Honourary*

humidité *(f)* : vapeur d'eau que contient l'air. *Humidity*

hydroélectrique : qui utilise la force de l'eau pour fabriquer de l'électricité. *Hydroelectric*

I

industrie *(f)* **manufacturière** : industrie de la fabrication, qui transforme les matières premières en produits finis. *Manufacturing industry*

innovation *(f)* : idée, pratique ou objet perçu comme étant nouveau par le consommateur. *Innovation*

irrigation *(f)* : action d'irriguer, d'arroser les cultures. *Irrigation*

L

latitude *(f)* : ligne imaginaire parallèle à l'équateur, servant à mesurer la distance qui sépare un point du globe terrestre au nord et au sud de l'équateur. *Latitude*

lieutenant-gouverneur *(m)*, **lieutenante-gouverneure** *(f)* : au sein d'un gouvernement provincial, représentant de la Reine qui ouvre et qui ferme la législature et qui signe les documents officiels quand un projet de loi est adopté et qu'il devient la Loi; chef honoraire du gouvernement. *Lieutenant-governor*

limite *(f)* : ligne qui sépare deux terrains, territoires ou pays qui se touchent. Voir aussi frontière. *Border*

limite *(f)* **des arbres** : zone de montagne à partir de laquelle les arbres ne poussent plus. *Tree line*

limon *(m)* : roche sédimentaire (voir sédiment). *Silt*

localité *(f)* : endroit, lieu; communauté ou village. *Locality*

M

maraîcher *(m)* : jardinier qui cultive des légumes. *Vegetable farmer*

marée *(f)* : mouvement du niveau de l'eau provoqué par l'attraction de la Lune et du Soleil sur les mers et les océans de la Terre. *Tide*

matières *(f)* **premières** : ressources naturelles que les industries utilisent pour fabriquer d'autres produits. *Raw material*

mer *(f)* **de glace** : étendue de glace qui se forme dans l'eau salée des océans, des mers et des détroits. *Sea ice*

météorite *(f ou m)* : pierre tombée de l'espace et qui traverse l'atmosphère. *Meteorite*

migrateur : qui se déplace d'une région à une autre. *Migratory*

ministre *(f/m)* : membre du gouvernement (Cabinet) nommé par le gouverneur général sur la recommandation du premier ministre, pour diriger un ministère. *Cabinet minister*

muskeg *(f)* : terrain formé de végétation et de débris qui remplissent graduellement les lacs. *Muskeg*

O

ordre *(m)* **judiciaire** : partie du gouvernement provincial qui interprète et qui applique les lois; ensemble des tribunaux. *Judiciary*

P

parti *(m)* **politique** *(m)* : groupe de personnes qui partagent des croyances communes au sujet de la politique (du gouvernement). *Political party*

pêche *(f)* **côtière** : pêche commerciale pratiquée à plus de 10 à 15 milles des côtes. *Inshore fishing*

pêche *(f)* **hauturière** : pêche profonde ou pêche en haute mer, loin des côtes. *Offshore fishing*

péninsule *(f)* : grande presqu'île; terre entourée d'eau sur trois côtés. *Peninsula*

pergélisol *(m)* : couche du sol qui reste gelé en permanence. *PERMAFROST*

pilotis *(m)* : ensemble de piquets plantés dans le sol et qui soutiennent une construction. *STILTS*

pingo *(m)* : petite butte ronde ou ovale qui se forme autour d'un noyau de glace dans les régions de pergélisol. Un pingo peut mesurer de quelques mètres à une centaine de mètres et sa hauteur peut atteindre une trentaine de mètres. *PINGO*

plateau *(m)* **continenta**l ou **plate-forme** *(f)* **continentale** : région où le fond de l'océan est en pente douce sur de nombreux kilomètres avant de tomber brusquement dans une fosse profonde. *CONTINENTAL SHELF*

pluies *(f)* **acides** : précipitations qui résultent de la pollution et qui contiennent des produits chimiques dangereux. *ACID RAIN*

points *(m)* **cardinaux** : les principales directions d'une boussole – quatre points à partir desquels on détermine sa position : nord, sud, est et ouest. *CARDINAL DIRECTIONS*

précipitations *(f)* : chutes de pluie, de grêle ou de neige, mesurées en millimètres d'eau. *PRECIPITATION*

premier ministre *(m)* : chef du parti politique qui a remporté le plus grand nombre de sièges à l'assemblée législative; chef du gouvernement à l'échelle d'une province, d'un territoire ou d'un pays. *PREMIER*

produit *(m)* : ce qui est créé par l'industrie. *PRODUCT*

R

récolter : recueillir les produits ou ressources de la terre. *HARVEST, TO*

région *(f)* : lieu qui a des caractéristiques communes qui le distinguent des autres lieux. *REGION*

région *(f)* **physique** : lieu qui se distingue des autres par ses traits physiques. *PHYSICAL REGION*

région *(f)* **politique** : lieu qui a des limites ou des frontières reconnues et son propre gouvernement *POLITICAL REGION*

relief *(m)* : ensemble des creux et des bosses naturels qui couvrent la surface de la Terre. *LANDFORM*

reproduire (se) : donner naissance à d'autres êtres vivants, semblables à soi-même. *BREED, TO*

ressource *(f)* **non renouvelable** : ressource naturelle qui disparaît une fois qu'on l'a utilisée (ex. l'or et le pétrole). *NON-RENEWABLE RESOURCE*

ressources *(f)* **naturelles** : richesses naturelles que nous utilisons pour rendre la vie plus facile et plus agréable – les forêts, l'eau et les minéraux, par exemple. *NATURAL RESOURCES*

roche-mère *(f)* : socle, base rocheuse. *BEDROCK*

roche *(f)* **sédimentaire** : roche formée de couches de sédiments (voir sédiment). *SEDIMENTARY ROCK*

rose *(f)* **des vents** ou **rose** *(f)* **du compas** : représentation en étoile qui indique les directions sur une carte. *COMPASS ROSE*

S

sécheresse *(f)* : manque de pluie prolongé. *DROUGHT*

sédiment *(m)* : dépôt fait de débris de roches usées par l'eau, la glace ou le vent. *SEDIMENT*

services *(m, pl.)* : formes d'activité économique, effectuées par des personnes qui répondent à des besoins en offrant leur savoir ou leurs compétences. *SERVICES*

source *(f)* : endroit où commence un cours d'eau – un lac, un ruisseau souterrain ou un glacier en période de fonte, par exemple. *SOURCE*

statistiques *(f)* : ensemble de données numériques sur une catégorie de faits. *STATISTICS*

stérile : caractéristique d'un sol où rien ne pousse; que l'on ne peut pas cultiver. *BARREN*

T

tableau *(m)* : façon organisée de présenter des informations. *CHART*

tableau *(m)* **comparatif** : diagramme qui sert à comparer plusieurs choses, en montrant les points communs et les différences. *COMPARISON CHART*

terres *(f)* **humides** : endroits marécageux ou qui restent partiellement inondés toute l'année. *WETLANDS*

territorial : qui concerne un territoire (politique ou géographique). *TERRITORIAL*

théorie *(f)* : idée ou ensemble d'idées fondé sur des observations et qui sert à expliquer quelque chose. *THEORY*

toundra *(f)* : grande région de plaine sans arbres des climats froids (le Grand Nord, par exemple); la végétation de la toundra se compose d'arbustes, de buissons, de petites plantes et de mousses. *TUNDRA*

traits *(m)* **physiques** : formes du relief, masses d'eau et cours d'eau d'une région donnée. *PHYSICAL FEATURES*

transport *(m)* : méthode permettant de déplacer les gens et les marchandises d'un endroit à l'autre. *TRANSPORTATION*

transports *(m)* **publics** ou **en commun** : tous les véhicules qui servent au transport collectif des personnes. *PUBLIC TRANSPORTATION*

V

végétation *(f)* : ensemble de plantes qui poussent naturellement dans un endroit. *VEGETATION*

vie *(f)* **animale** : ensemble de tous les animaux et autres organismes vivants qui peuplent un endroit. *ANIMAL LIFE*

vote *(m)* ou **scrutin** *(m)* **secret** : façon de voter qui ne permet pas de connaître le choix des électeurs individuellement (pour qui chaque personne a voté en particulier). *SECRET BALLOT*

vote *(m)* ou **scrutin** *(m)* **par anticipation** : vote avant le jour des élections. *ADVANCE POLL*

Index

Océan Arctique
N
O
E
S
YUKON
TERRITOIRES
DU NORD-OUEST
NUNAV
Océan
Pacifique
COLOMBIE-
BRITANNIQUE
ALBERTA
SASKATCHEWAN
MANITOBA
Canada